MW00636808

RECONOCIMIENTOS

"A menudo conozco familias en crisis luego de que un hijo LGBT+ sale del clóset. He encontrado que Guiando Familias *es EL recurso que dejo con ellos para que los siga guiando. La mayoría de los recursos LGBT+ requieren leer la obra entera para sólo unos pocos puntos claves.* Guiando familias *es un recurso libre de todo eso y da consejo tras consejo, extraídos desde el campo de batalla de cuidado pastoral y parental. Los pastores encontrarán lo que ellos necesitan para ser confidentes y guías seguros, y los padres encontrarán el lenguaje y consejos que incremente su conexión con sus hijos adultos o adolescentes."*

– Ty Wyss, Fundador de Walls Down Ministry

"Guiando Familias *es una herramienta práctica, llena del Espíritu Santo, que tiene el potencial de salvar iglesias, familias, y vidas."*

– Laurie Krieg, Directora Ejecutiva de Hole in my Heart Ministries

"Guiando Familias *enseña a las familias y amigos a amar bien a las personas LGBT+, mientras aman a Dios fielmente. Contenido en este libro está todo lo que necesitas para aprender a amar bien y a mantenerte fiel a la fe cristiana histórica."*

– Rev. Dr. Jonathan G. Smith, Pastor de Redeemer Anglican Church of Orlando y líder del Podcast "Grace on Fire"

"Estoy asombrado con Dios por habernos guiado a tu recurso, Guiando Familias. *Tu trabajo está salvando vidas – las vidas de las relaciones familiares y las vidas literales de familiares LGBT+. Gracias por tu trabajo y tu valentía."*

– Molly, madre de un hijo transgénero (lee su historia en este libro)

"Un recurso muy práctico, precioso, exhaustivo y necesario. Ya estoy anticipando historias de entendimiento, empatía, valor y asombro que nacerán como fruto de este libro."

– Thomas Mark Zuniga, Cofundador y Editor de yourotherbrothers.com

"Guiando Familias *debe ser leído! Uno de los mejores recursos que he encontrado como terapeuta profesional para ayudar a familias a sanar relaciones heridas. Guiando a padres a tener un diálogo más profundo y significativo con sus familiares, los capacita para caminar lado a lado con sus seres queridos con compasión y sin vergüenza."*

– Cynthia Fisher, Directora Clínica y Fundadora de Quadra Counseling Associates, LLC

"Como consejero profesional que trabaja con individuos LGBT+ y sus familias, estoy extremadamente agradecido por tener un recurso como Guiando Familias. *Es una herramienta invaluable que unirá familias y ayudará a enmendar relaciones rotas."*

– Matt Krieg, Director de Consejería en Caring Well Counseling

"Después de años de buscar materiales útiles, Guiando Familias *se ha convertido en mi recurso predilecto para nuestro ministerio. ¡Es práctico y alentador para los padres, una gran guía para grupos pequeño e invaluable para cualquiera que camine junto a personas LGBT+ y sus familias!"*

– Jill Rennick, Directora de The Grace Place

"Guiando Familias *provee una perspectiva muy necesitada para amar a la gente, cualquiera sea su orientación sexual. Este libro está lleno de ideas, consejos prácticos y recursos disponibles para cualquiera que los necesite. Más importante aún, nos llama a amar a todas las personas, especialmente a aquellos que están sufriendo y en riesgo."*

– Dr. Valorie C. Nordbye, Directora de Ministerios Universitarios, Missions Door

"Guiando Familias *puede haber sido escrito para familiares inmediatos de seres queridos LGBT+, pero su guía práctica y el espíritu con el cual está escrito, son para todos aquellos que trabajamos con y amamos a jóvenes y adultos.* Guiando Familias *ofrece un camino constructivo hacia adelante. Personalmente, este ministerio continúa recordándome que el objetivo es salvar vidas, mostrarle a la gente joven que son amados y que Jesús los conoce. Su método no es fácil – requiere amor sacrificial e incondicional, pero nuestros jóvenes lo valen."*

– Jennifer Jukanovich, Vice Presidenta de Vida Estudiantil, Gordon College

MÁS RECONOCIMIENTOS EN LA CONTRAPORTADA INTERIOR

DEL AUTOR

La edición en inglés de *Guiando Familias de Seres Amados* se vendió en todo el mundo. Este recurso está diseñado para **aumentar la aceptación de la familia**, **mejorar la inclusión de la iglesia**, y **proteger contra la victimización** para **nutrir la identidad de fe** en los corazones de personas LGBT+. Pastores y líderes de iglesias, padres y familias, seminaristas y administradores de universidades, consejeros y trabajadores sociales, estudiantes y misioneros en universidades, trabajadores juveniles y de justicia social, y ministerios que asisten a familias de personas LGBT+ — todos los interesados encontrarán que *Guiando Familias* es un recurso útil.

LA EDICIÓN ESENCIAL

PARA CADA PASTOR Y SU EQUIPO

¿Por qué para cada pastor? Es sencillo. Nosotros alcanzamos a mucha gente. ¡Ustedes, como pastores, alcanzan a mucha más! Muchos de ustedes han pasado por Cambio de Postura, que equipa a los líderes pastorales para que cuiden y compartan a Cristo con las personas LGBT+ de forma efectiva. *Guiando Familias* incorpora puntos clave de la enseñanza de Cambio de Postura para ayudarle a animar a los padres y a las familias a amar y cuidar génerosamente a los seres amados LGBT+.

Nuestra esperanza es que *Guiando Familias* eliminará la "subcontratación" del cuidado que los seres amados LGBT+ y sus familias tanto experimentan. Nuestro recurso le ofrece un esquema fácil para educarse rápidamente en el cuidado directo de las personas LGBT+ y como caminar sabiamente con sus familias.

Para capacitar a su equipo visite ***cambiodepostura.com*** *y pida una propuesta de Cambio de Postura.*

PARA CADA PADRE Y SU FAMILIA

Ya sea que tu familiar acaba de salir del clóset o lo hizo hace años, nuestra esperanza es que *Guiando Familias* le equipará y animará. Esto comienza con lo que llamamos un **cambio de postura.** Con el telón de fondo de décadas de maltrato a las personas LGBT+, debemos cambiar nuestra postura para asegurar que nuestras acciones, actitudes y palabras se parezcan más a las de Jesús. Dios nunca tuvo la intención de que los padres y las madres rechazarán a sus hijos LGBT+.

Hace muchos años, a menudo tomaba meses de interacción para dar una forma positiva a cómo las familias responden a sus seres amados LGBT+. Escribí *Guiando Familias* porque la enseñanza del contenido en este recurso permite que padres y familias comiencen a estar relacionados con mayor eficacia en sólo unas horas.

Para obtener asistencia adicional, póngase en contacto con nosotros en ***ayuda@guiandofamilias.com***.

PARA TODO INTERESADO

Enseñar el amor y la compasión por las personas LGBT+ a veces puede provocar preocupaciones acerca de la transigencia bíblica. **Nada en *Guiando Familias* deshonrará la palabra de Dios. Le animamos a mantener su posición biblica para honrar a Dios pero a ajustar su postura para amar como Dios le ha amado a usted.** Todos nosotros estamos destituidos de la gloria de Dios. Aquellos que han encontrado a Jesús han sido salvados por una gracia asombrosa. No lo ganamos. No lo merecemos. No lo hemos alcanzado. Dios nos salvó precisamente porque somos pecadores en necesidad de gracia. Las personas salvadas por la gracia no maltratan, ni colocan obstáculos en los caminos de otros. Somos llamados a despejar obstáculos y a revelar auténticamente a Jesús, que vive en nosotros, a la gente allí donde están.

Oramos que *Guiando Familias* le ayudará a vivir más génerosamente el Evangelio de Jesucristo.

Bill Henson
Creador de Cambio de Postura
Autor de Guiando Familias

DEDICATORIA

A Jesucristo por morir en mi lugar; a mis padres por ser ejemplos del amor sin condición; a mi esposa e hijos por ser la alegría de mi vida; a los miembros de nuestra junta por liderar nuestro ministerio con excelencia; a Fr. Ray Pendleton por apoyarme y animarme durante los tiempos más duros; a nuestro staff y equipo voluntario de edición que han trabajado incansablemente; a fieles amigos por promocionar, revisar y aportar artículos inspiradores; a cada individuo entrevistado por abrir las partes más vulnerables de su vida para ayudar a otros; al Dr. Paul y Christie Borthwick por ser ejemplos de un compromiso de toda la vida a la movilización de los misioneros; a la víctima de bullying de 11 años, Carl Joseph Walker-Hoover, por despertar mi corazón para hacer algo; a la Dr. Caitlin Ryan por aventurarse con gracia a través de la brecha de creencia para educarme sobre qué hacer; a mi iglesia local, Grace Chapel, por ofrecer cuidado personal y apoyo práctico desde que vine a Cristo; a pastores, líderes ministeriales, y padres de personas LGBT+ por confiarme sus historias; a nuestros compañeros de oracion, lectores de Guiando Familias, *y donantes por animar y apoyar a nuestro equipo.*

GUIANDO FAMILIAS

AUTOR Bill Henson

ARTE Y DISEÑO Meg Baatz, Daniel Guzmán

EDITORES PRINCIPALES Mitchell Yaksh, Josh Proctor

EQUIPO DE LECTURA Meg Baatz, Chadyn Case, Bill Henson, Jairo Hernandez, Lesli Hudson-Reynolds, Peter Keto, Ray Low, Ty Michonski, Catherine Mullaney, Josh Proctor, Molly Stanley, Luke Swetland, Jessica Wightman

RESEÑISTAS Jill Baatz, Nina Edwards, Elaina Francisco, Rachel Gilson, Ed Guzmán, Colin Halstead, Anna Henson, Andrew Henson, Laurie Krieg, Thomas McClure, Hayley Mullins, Sandy Park, Jill Rennick, Leann Theivagt, Pieter Valk, Adam Woods, Sabra Woodward, Ty Wyss

EQUIPO DE TRADUCCIÓN Diego Melgar, Ed Guzman, Jairo Hernandez, Ashley Lavergne, Elias Luis, Adrian Osorio, Diego Sandino

---

Guiando Familias de Seres Amados LGBT+, la Edición Esencial

Posture Shift Books
100 Powdermill Road, Suite 325
Acton, MA 01720

informacion@guiandofamilias.com | (978) 212-9630
leadthemhome.org | guiandofamilias.com

ISBN: 978-0-9987425-6-4

La Primera Edición Esencial en Español, Noviembre 2020

Publicado originalmente en inglés con el título:
Guiding Families of LGBT+ Loved Ones: The Essentials Edition

ÍNDICE

TÉRMINOS CLAVES

Adentrándonos ya en *Guiando Familias*, aquí hay una lista de términos claves que pueden o no ser familiar para usted. Esta no es una lista exhaustiva de todos los términos que encontramos cuando interactuamos con personas LGBT+, pero nos ayudará a comenzar la conversación. Es posible que se sienta incómodo o tenga inquietudes acerca de algunos términos en esta lista, y eso está bien. Como organización misionera, nos esforzamos por utilizar términos honorables al presentar a Cristo a la gente LGBT+.

ACEPTACIÓN

Un reconocimiento sincero y completo de la realidad de una situación; un amor hacia alguien tal cual es, no como uno quisiera que fuera. Inherentemente, aceptación no significa la aprobación de una situación o del modo de otras personas de lidiar con esa situación. Aceptación tampoco significa sentirse bien acerca de una situación. Es un estado en el que cada persona (seres amados y uno mismo) puede avanzar, apersonándose de sus respectivos roles y responsabilidades en una situación — ni más ni menos.

CARNADA

Ocurre cuando las intenciones, creencias o actitudes son inicialmente tergiversadas y luego resultan ser diferentes de lo esperado. Un ejemplo sería expresar amor por las personas LGBT+, para más adelante revelar un aspecto de creencia significativo, que no se había comunicado con claridad. Una carnada puede hacer que alguien se sienta herido, traicionado o engañado. Mientras el propósito de una carnada es evitar una confrontación difícil, al final puede irónicamente causar mas dolor que una comunicación honesta.

SALIR DEL CLÓSET

Cuando una persona comparte su orientación sexual o identidad de género con otras personas, así como el proceso que el individuo atraviesa para descubrir y entender su orientación sexual y/o identidad de género. "Salir del clóset" no significa necesariamente que la persona lo esté viviendo - puede que comparta su experiencia sin la intención de salir con una persona del mismo sexo o cambiarse de género. Del mismo modo, otra persona puede salir del clóset mientras está en una relación o en el proceso de transición de género. Cuando la identidad sexual/de género de una persona se anuncia por otra sin consentimiento, a esto se le llama **"exponer."**

HOMOFOBIA/TRANSFOBIA

El temor hacia personas LGBT+, que desencadena ideas desconsideradas o incluso odiosas acerca de la humanidad, intenciones, fe, conducta y carácter de personas LGBT+. Estas actitudes a menudo surgen de no conocer personalmente a las personas LGBT+. Estas personas normalmente se basan en ideas erróneas que dependen más de los estereotipos culturales que de los hechos.

TRAUMA

Un cambio psicológico que resulta de un evento o serie de eventos angustiantes. El trauma puede resultar de un acontecimiento único, como la muerte de un ser amado. El trauma también puede resultar de eventos angustiantes (con frecuencia aparentemente "pequeños") que ocurren repetidamente durante un largo período de tiempo, como el daño físico o verbal reiterado en el hogar o en el colegio. Esta última forma a menudo se llama **trauma complejo, trauma del desarrollo, trauma histórico, estrés traumático, estrés tóxico."**[1]

LESBIANA

Adj./Sust.

(Una mujer) atraída exclusivamente o más significativamente hacia otras mujeres.

"Ella es lesbiana." "Ella es una mujer lesbiana."

GAY

Adj.

Atraído exclusivamente o más significativamente al mismo género. Históricamente la frase se ha utilizado solo para referirse a hombres, pero cada vez mas se utiliza también para referirse a mujeres.

"El es gay." "El es un hombre gay."

BISEXUAL

Adj.

Atraído/a a más de un género pero no necesariamente a la misma vez o en la misma manera o al mismo grado.

"Ella es bisexual."

TRANSGÉNERO

Adj.

(o **Trans**) Describe a una persona cuyo sentido interno de identidad de género no se corresponde con su sexo de nacimiento.[2]

"El es transgénero."

Trans* (con un asterisco) es un término general que se refiere a todas las identidades no cisgénero dentro del espectro de género.

[1]Paynter ML. (2017). *Exploring a School Culture and Climate Where Students Can Flourish: Using Focus Group Methodology to Capture Key Stakeholder Perceptions About School Culture and Climate in an Alternative Education High School.* San Jose State University, ProQuest Dissertations Publishing, 10635374.

[2]Yarhouse MA. (2015). *Understanding Gender Dyshporia: Navigating Transgender Issues in a Changing Culture.* InterVarsity Press.

QUEER/NO HETEROSEXUAL

Adj.

Término abarcativo que se refiere a los individuos que no son **heterosexuales** (atraídos exclusivamente al género opuesto) y/o que experimentan un nivel de malestar con su género del nacimiento. Queer anteriormente era un término despectivo que ha sido reivindicado en la actualidad como un identificador de empoderamiento.

"El se identifica como queer."

CUESTIONANDO

Adj.

Inseguro/a de la naturaleza exacta de su propia identidad de género y/o identidad sexual, y por lo tanto incapaz de identificarse con confianza por una etiqueta particular de sexualidad/género en el presente.

"Ella está cuestionando su sexualidad."

INTERSEXUAL

Adj.

Haber nacido con características sexuales (ej: genitales, gónadas, cromosomas, endocrinología) que no corresponden a la noción típica de cuerpos masculinos y femeninos.

"Mi hijo es intersexual."

ASEXUAL

Adj.

Experimentar una atracción sexual mínima o nula hacia otras personas. Alguien asexual puede experimentar una gama de inclinaciones románticas, desde ninguna (**arromántico**) a algo (**gris-romántico**) o por completo (**romántico**).

"El es asexual, pero no arromántico, así que igual disfruta de salir en citas."

ALIADO

Sust.

Una persona que no es LGBT+ pero afirma las causas sociales, políticas y teológicas progresistas LGBT+.

"Su mejor amigo es un aliado LGBT+."

PANSEXUAL

Adj.

Atracción que no está limitada por el sexo biológico, género e identidad de las personas. Mientras que "bisexual" tiende a denotar dos categorías de género ("bi" = "dos"), alguien pansexual posiblemente no vea el género como limitado a dos categorías ("pan" = "todo").

"Ella se identifica como pansexual."

GÉNEROQUEER

Adj.

No se conforma o identifica con nociones típicas de apariencia, funciones, características, o identidad masculina o femenina. Sinónimo de **género no binario, género fluido, género no conforme, pangénero, andrógeno** y **dos espíritus.**

Algunas personas no binarias no se sienten cómodas con pronombres o adjetivos de género. En lugar de eso, se expresan usando el pronombre "elle" y cambiando los adjetivos que terminan en o/a con e/x.

"Elle es géneroqueer."

DISFORIA DE GÉNERO

Sust.

Experiencia de aflicción asociada con la incongruencia en la cual la identidad de género psicológica y emocional no coincide con el sexo biológico de la persona.2 De una personas que carece disforia de género o esta es baja, se dice que tiene **coherencia de género** o **congruencia de género.**

"Ella experimenta disforia de género."

TRANSICIÓN

Sust./Vb.

Proceso de reconciliar la presentación de género y/o características sexuales de una persona con su sentido interno de la identidad de género.

"Mi hijo ha anunciado su planes para hacer la transición."

HOMOSEXUAL

Adj./Sust.

Una persona atraída hacia el mismo género/sexo. Generalmente se considera un término anticuado u ofensivo para los individuos LGBT+.

ATRACCIÓN POR EL MISMO SEXO (AMS)

Sust.

(O **atracción por el mismo género**) Este término es común para aquellos que consideran las atracciones hacia el mismo género como una lucha del pecado, sin embargo, es ofensivo para muchas personas LGBT+ porque tiene connotaciones de "comportamiento" y disminuye los aspectos de "identidad" de la orientación sexual. (Muchas personas LGBT+ prefieren el término **amor por el mismo género.**)

"El experimenta atracción por el mismo género."

CISGÉNERO

Adj.

(o **Cis.** pronunciado "/sis/") Describe a una persona cuyo sentido interno de identidad de género corresponde con su sexo de nacimiento. (El prefijo "trans" significa "a través de" mientras el prefijo "cis" significa "en el mismo lado de.")

"Al ser cisgénero, no me enfrento al reto de tener que cuestionar mi género."

BIENVENIDOS

LECTORES LGBT+

Si eres adolescente, un joven soltero, una pareja casada, o estás jubilado, nuestro ministerio cree firmemente que mereces una familia amorosa y una iglesia segura en la que adorar a Dios.

Tu no eres "uno de ellos" ni un "problema" para resolver. Eres un hijo amado de Dios. Te mereces una familia que te ame incondicionalmente y te dé la bienvenida a casa (sí, con tu pareja). El amor puede y debe trascender las diferencias entre creencias religiosas. El amor real se captura maravillosamente en 1 Corintios 13:4-8,13 (NVI). Dice:

> *"El amor es paciente, es bondadoso. El amor no es envidioso ni jactancioso ni orgulloso. No se comporta con rudeza, no es egoísta, no se enoja fácilmente, no guarda rencor. El amor no se deleita en la maldad, sino que se regocija con la verdad. Todo lo disculpa, todo lo cree, todo lo espera, todo lo soporta. El amor jamás se extingue, . . ."*

Sin agenda - solo por brindar una comunicación honesta - nuestro ministerio tiene una creencia bíblica tradicional del matrimonio y la sexualidad. Sin embargo, *Guiando Familias* no impone teología a la gente LGBT+. Más bien, estamos comprometidos a aumentar la aceptación de personas LGBT+ en sus familias, mejorar su inclusión en la iglesia, protegerles contra la victimización y nutrir su identidad de fe.

¡Podemos amar bien en cualquier brecha de creencias! Cuando los padres (o sus hijos) permiten que las diferencias causen divisiones, es cuando las relaciones se ven fracturadas. Por esta razón, puede que tus padres necesiten tanta aceptación de tu parte como tú necesites la de ellos. Es mi oración que *Guiando Familias* evite la fractura de las relaciones familiares — y sane la confianza relacional donde se ha perdido.

El amor jamás debe ser definido por las diferencias, sino por cada acción, actitud y palabra. Con oración y fe, creo que podemos eliminar el rechazo familiar a sus seres amados LGBT+ en esta generación. En medio de cualquier diferencia de creencia, trabajemos juntos hacia este objetivo.

Finalmente, no pretendo contar tu historia. Entiendo que no todas las personas LGBT+ experimentan bullying o rechazo familiar. Pero muchas sí y esta es la razón por la cual nuestro ministerio se centra tan intensamente en trabajar con familias e iglesias para prevenir el maltrato de personas LGBT+.

Espero que *Guiando Familias* honre a familias y amigos LGBT+. Te invito a contactarte conmigo si tienes cualquier inquietud o comentario útil. Gracias por leer *Guiando Familias.*

NIDOS

PASTORES & PADRES

El día en que el joven LGBT+ sale del closet es uno de los días más críticos de su vida. En las siguientes páginas, aprenderás el miedo que siente el joven en este momento. Imagina que sabes que tus pastores son cariñosos y tus padres te aman, sin embargo, te preocupa que una revelación tuya pueda significar que te rechazarán, te excluirán, te condenarán o incluso te repudiarán.

Puede parecer impensable que tu amado hijo pueda temer a sus padres o a su iglesia, o luchar con pensamientos ansiosos de ser rechazado o perder el acceso a los fondos para pagar sus estudios en la universidad.

Aún así muchos temen: temen la condena de los líderes de sus iglesias, y temen el rechazo de sus familias. Lamentablemente, tal condena y rechazo todavía ocurren hoy en día. Además, los traumas previos (como el bullying escolar) pueden alimentar los temores de un joven LGBT+. Estos traumas pueden llevar a un joven a considerar autolesionarse, o incluso a intentar suicidarse.

Cuando los jóvenes salen del closet, es probable que estén compartiendo contigo lo que han estado procesando personalmente durante mucho tiempo, posiblemente años. Esta revelación que comparten contigo refleja un profundo coraje, que puede describirse como "confiar en medio del temor". Tu respuesta es sumamente crítica. Determinará la diferencia entre la seguridad o el miedo, la paz o la ansiedad, el amor seguro o el rechazo.

Del mismo modo, los padres pueden temer: *¿Qué sucederá cuando nuestros pastores y otras personas de nuestra iglesia descubran esto?* Lamentablemente, este miedo puede inhabilitar en un padre la inclinación natural de amar y demostrar la aceptación.

Comenzamos *Guiando Familias* por abordar tales temores. Capacitamos a miles de pastores en todas las regiones geográficas, desde ciudades metropolitanas y ciudades universitarias hasta comunidades rurales. Cada pastor que hemos encontrado comparte el mismo amor por su familia que tú tienes por su hijo. ¡Ningún pastor te está pidiendo que regañes, castigues, o rechaces a tu hijo!

Nos unimos a tus pastores para apoyarte mientras caminas con tus hijos LGBT+ en el amor. Tu inclinación natural a aceptar y amar a tu hijo es dada por Dios. A veces, tú podrías ser tentado a retirarte en la decepción o el dolor, pero es fundamental involucrarte progresivamente y asegurarle a tu hijo, tu amor.

En las siguientes páginas, pastores, padres y todos los interesados aprenderán cómo es crecer LGBT+. Todo se reduce a esto: el momento en que un joven LGBT+ se acerca a tí es probablemente el momento en que más necesita tu amor. Padres, queremos ayudarles a estar ahí para sus hijos.

CRECIENDO COMO LGBT+

EL PESO QUE LOS ADOLESCENTES CARGAN

LOS ADOLESCENTES NO DECIDEN SALIR DEL CLÓSET por capricho. Es probable que hayan estado tratando de resolver su identidad durante muchos años. A menudo experimentan aislamiento y depresión mientras buscan respuestas con poco apoyo social.

Es fundamental evitar los estereotipos que tergiversan las experiencias de otros y resultan en condescendencia hacia las personas. Puesto de otra manera, es irrespetuoso presumir que conocemos la historia de otra persona. Sólo porque alguien se identifique como LGBT+ no significa necesariamente que hayan sido acosados o maltratados.

Si bien los estereotipos son peligrosos, las estadísticas no mienten. La victimización de los jóvenes LGBT+ se produce a una tasa mucho mayor que la de los pares heterosexuales. Por esta razón, es crítico que entendamos lo que puede ser crecer como LGBT+.

Los jóvenes LGBT+ reportan habitualmente que se sientan "diferentes" a una edad temprana. Esta diferencia interna puede ser o no visible para sus compañeros. De serlo, es posible que comiencen a excluir al niño o niña. Pero incluso si no es visible, los jóvenes LGBT+ se sienten incómodos por dentro y quizá eviten interactuar con sus compañeros.

Durante la escuela primaria, este aislamiento puede magnificar la percepción de las diferencias, lo que conduce a hablar mal de otros, a excluir en maneras explícitas, y a colocar rótulos a aquellas áreas de diferencias. Tristemente, esta exclusión se infunde en la vida social de muchos jóvenes LGBT+. A medida que los años de escuela secundaria se acercan, existe un mayor riesgo de bullying.

Cuando los adolescentes LGBT+ salen del clóset para sí mismos, a menudo luchan no sólo con su dolor pasado, sino también con sus miedos futuros. Es posible teman a sus padres. Estos temores pueden llevar a muchos jóvenes a aislarse, a reprimirse y a intentar orar para dejar de ser gay.

El peso que muchos adolescentes LGBT+ llevan es demasiado pesado. No podemos aligerar su carga si no somos conscientes de aquello por lo que han pasado. En una vida joven, sentirse intrínsecamente diferente a los compañeros durante un largo período de tiempo puede ser traumático. Ser tratado rutinariamente de manera diferente — o ser posiblemente amenazado o lastimado en repetidas ocasiones — un trauma adicional.

El miedo a la reacción de los padres a la identidad sexual o de género añade otra capa de trauma. Estos traumas pasados, presentes, y futuros conforman la química del cerebro para que este anticipe continuamente la condena, la amenaza, o el daño.

El impacto acumulativo de los traumas antedichos puede producir un aislamiento creciente, una autoestima más baja, y problemas en su rendimiento académico.

Entender tu propia orientación sexual o identidad de género puede ser un proceso confuso y frustrante que lleve tiempo. **Esta es una experiencia muy real: uno no le puede exigir a estos sentimientos que se alejen, ni se puede negar la realidad de lo que tu hijo experimenta.**

EL PESO QUE MUCHOS ADOLESCENTES LGBT+ LLEVAN ES DEMASIADO PESADO. NO PODEMOS ALIGERAR SU CARGA SI NO SOMOS CONSCIENTES DE AQUELLO POR LO QUE HAN PASADO.

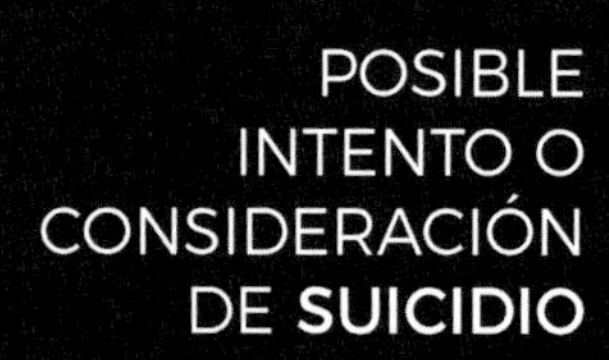

POSIBLE INTENTO O CONSIDERACIÓN DE **SUICIDIO** — 9

10 — **SALIR DEL CLOSET?**

8* — TENDENCIA A REPRIMIR AL PUNTO DE **AGOTAMIENTO***

LA CERTEZA: "SOY GAY"

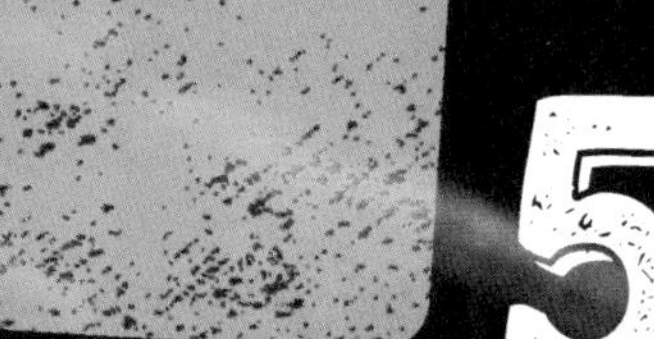

7 — PREGUNTARSE SI DIOS LO **REPUDIA**

6 — MAYOR **AISLAMIENTO**, DEPRESIÓN, Y ESTRÉS POST-TRAUMÁTICO

5 — ANTICIPAR **EL JUICIO** EN LA IGLESIA

4 — TEMER EL **RECHAZO FAMILIAR**

LA SOSPECHA: "TAL VEZ SEA GAY"

BRECHA DE REVELACIÓN†

3 — **MAYOR VICTIMIZACIÓN** (BULLYING, BURLAS)

2 — DIFÍCIL **INTEGRACIÓN CON PARES** (ESPECIALMENTE DEL MISMO GÉNERO)

1 — **SENTIRSE "DIFERENTE"** DESDE UNA TEMPRANA EDAD

*LA REPRESIÓN

La represión es la energía mental y emocional gastada en un intento por someter o apagar sentimientos no deseados a través del esfuerzo propio. Este proceso comúnmente conduce al agotamiento mental o incluso a una ruptura psicológica. Esto puede reducir la esperanza, aumentar los sentimientos de autodesprecio, y aumentar el suicidio.

†LA BRECHA DE REVELACIÓN

La Autorrevelación típicamente con la sospecha ("tal vez no sea heterosexual") alrededor de la edad de los 12,5 años. Esta sospecha se consolida en certeza alrededor de la edad de los 17,5 años ("definitivamente no soy heterosexual"). Otros 2 a 5 años o más típicamente pasan antes de que los jóvenes revelan a un padre. [1]Esta Brecha de Revelación traiga una zona de peligro cuando un trauma previamente internalizado puede alimentar el suicidio. Para más información sobre la brecha de revelación, consulte la página 18.

[1]Basado en datos empíricos recientes de nuestra atención directa a las personas LGBT. Hallazgos similares han sido encontrados por Yarhouse (2018, *Listening to Sexual Minorities*) y Pew Research Center (2013, A Study of LGBT Americans).

SEIS ETAPAS DEL DESARROLLO
CÓMO UN ADOLESCENTE SALE DEL CLÓSET

Descubrir una atracción hacia el mismo género, o disforia de género, puede ser un choque para adolescentes. Para muchos, esta realidad puede no coincidir con las creencias bíblicas de su familia. Puede que deseen ser un "buen cristiano" o satisfacer las expectativas de los padres, por lo que procuran negar su experiencia u orar para dejar de ser gay. Si no han experimentado rendición espiritual, o si están bajo grandes expectativas de los padres, un joven puede caer en la represión utilizando su propia fuerza.

Los jóvenes no siempres entienden la importancia del apoyo de adultos. Algunos lo saben, pero temen el rechazo o el juicio. Muchos se retiran, aíslan y esconden. Algunos quieren esconderse físicamente por temor a que la gente adivine que son gay. Otros se esconden emocionalmente para que su secreto no esté en riesgo.

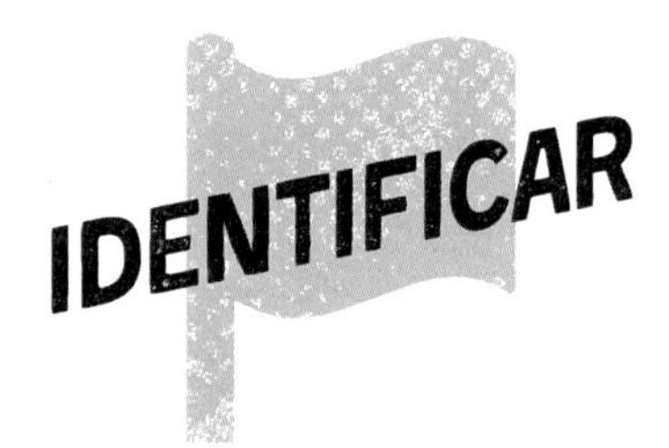

Después de un tiempo de negación, represión, esconderse, e intentos de orar para dejar de ser gay, muchos adolescentes llegan a un lugar donde aceptan sus atracciones o su sentido interno de género. Empiezan a hablar en términos de identidad en lugar de inclinación. Esta identificación interna puede ocurrir mientras una persona joven todavía esta reprimida y aislada. No debería ser un choque el que consideren la sexualidad y el género como elementos fundamentales de su identidad personal. Todo el mundo tiende a experimentar "a quien amo" y "quien soy" como elementos centrales de nuestra identidad humano.

Incluso los adolescentes que se identifcan como LGBT+ no pueden ser "abiertos" respecto de su sexualidad o expresión de género. Es común que los adolescentes se digan a sí mismos: "Sé que soy gay" y aún así permanezcan en aislamiento, represión, y miedo. Cualquier adolescente que permita que todo este estrés se acumule por mucho tiempo sin el apoyo de un adulto corre el riesgo de una caída en depresión y pensamientos suicidas. El agotamiento mental, emocional, y espiritual puede superar a un adolescente cuando la ansiedad y la angustia del dolor pasado y los temores futuros se acumulan durante demasiado tiempo.

Es fundamental que los adolescentes puedan compartir sin miedo. Aquellos que no logran ver cómo salir adelante, procuran evitar que nadie lo sepa jamás, intentando *quitarse la vida*. Otros, para quienes su vida es valiosa, toman el riesgo de compartir su sexualidad o identidad de género con otra persona *saliendo del clóset*. (Recuerda: sólo porque un ser amado sale del clóset no significa necesariamente que lo esté viviendo o incluso que tenga la intención de vivirlo.)

Al salir un adolescente del clóset, es una oportunidad para buscar recuperarse del aislamiento, el bullying, o del odio por sí mismo. El dolor puede convertirse en ira si las personas a su alrededor no aceptan su identidad. Es muy importante que los padres y pastores ofrezcan amor y aceptación incondicionales durante este tiempo.

¡SALVE UNA VIDA! ¡SEA UNA PERSONA QUE BRINDE SEGURIDAD CUANDO UN ADOLESCENTE SALGA DEL CLÓSET.

LOS JÓVENES LGBT+ SE ABREN
SOBRE CADA ETAPA.

WILL (24) — REPRIMIR

"Tenía tanto miedo de decepcionar a mis padres. También temía que mis amigos se enteraran. Nunca fui acosado, solo era un muchacho al que le gustaba jugar basketball. Y aunque siempre me sentí diferente a los otros chicos, tenía un padre fuerte que estaba presente en mi vida. Crecí completamente involucrado en un mundo de hombres y amé las aventuras y los deportes. Sin embargo, todavía me sentía aislado porque esa "pequeña cosa" que nadie podía saber sobre mí me seguía aplastando. **Lo reprimí durante 12 años. Casí me mató."**

ESCONDERSE — JESSICA (14)

"No lo he compartido con mis padres porque me preocupa que no me crean, respeten o acepten. **Mis padres son cariñosos y seguros, pero me causará gran ansiedad si lo saben.** Ellos siguen diciendo que ser gay es algo que la gente puede cambiar. Esto me preocupa porque no estoy segura de si van a ser amables y aceptarme o si van a tener una respuesta opuesta de duda y enojo."

CRYSTAL (22) — IDENTIFICAR

"Cuando tenía 12 años de edad, recuerdo haberle dicho a mi madre adoptiva que nací en el cuerpo incorrecto. **Aunque nací un niño, yo sabía en mi mente que yo era una niña.** Fue en este punto que ella se volvió aún más mala conmigo. Ella me golpeaba, me doblaba el pulgar hacia atrás, y me gritaba por pintar mis uñas o vestirme como niña."

EL AGOTAMIENTO — RILEY (25)

"Tenía 22 y aún no se lo había contado a mis padres. Ya no podía controlar mis emociones más. Era un lugar muy aislado y solitario. Era tan malo que escribí una carta suicida. En la carta, dije que amo a mis padres y les dije que experimento atracción hacia el mismo género. También había descubierto que mi hermano y mi cuñada iban a tener un hijo, así que le escribí a mi hermano para que le dijera a mi futuro sobrino o sobrina que le amo. Después de 10 años de represión, el aislamiento destruyó toda mi esperanza. **Guardar ese secreto para sí mismo puede ser muy agotador. Sólo se puede reprimir los sentimientos durante un tiempo."**

JOHN (16) — SALIR DEL CLOSET

"Mis padres no lo saben. **No quiero esconder mi vida, y no quiero sentirme como si estuviera mintiendo o viviendo una doble vida.** No sé cuánto tiempo más pasará antes de decirles. Una parte de mí se siente como que podría ocurrir dentro del próximo año. Otra parte de mí se siente como que nunca voy a encontrar el momento adecuado, como los años tan sólo seguirán pasando. Otra parte de mí quiere creer que nunca necesitarán saberlo, pero en el fondo sé que sí necesitan saberlo."

PELEAR — RACHEL (26)

"Estoy cansada de vivir constantemente en el Monte Everest. ¿Sabes cómo es eso? Mueres si dejas de moverte, es imposible ir hacia atrás, y puedes morir incluso si sigues adelante, pero es tu única oportunidad. Estoy cansada del juicio y del odio a mí misma. No voy a volver a un clóset horrible. **Esto es lo que soy. Me merezco lo que cada humano anhela: dar amor y recibir amor de una pareja permanente."**

LA HISTORIA DE LIAM

SOBRECOGIDO

EN MEDIO DE LAS EXPECTATIVAS POR CONVERTIRSE EN EL HOMBRE QUE TODOS QUIEREN QUE SEA, LIAM (20) COMPARTE CÓMO DIOS LO GUIÓ HACIA LA SANTIDAD Y ACEPTACIÓN COMO EL HOMBRE DE DIOS ÚNICO QUE ES.

IENTRAS CRECÍA, YO ERA EL NERD EDUCADO en casa que se juntaba con las amigas de mis hermanas. A veces intentaba socializar con chicos, pero una vez que descubrían cómo era yo (no sé arrojar un balón – y no quiero), dejaban de invitarme. Crecí aislado y recuerdo pensar, *¿Por qué tengo que hacer lo que a ellos les gusta? ¿Por qué no pueden ellos hacer lo que a mí me gusta, aunque sea una vez?*

En la secundaria, fui a mi primer retiro espiritual, en el cual escuché la palabra "gay" por primera vez. Cuando llegué a casa, le pregunté a mis padres al respecto. Su respuesta: "Nosotros no hablamos de eso."

No satisfecho con su respuesta, mi curiosidad de estudiante de secundaria me llevó a Google. Sus respuestas fueron, pues, mucho más descriptivas. Y de esta forma mi joven mente fue inundada con pornografía gay.

La cercanía física que vi no me asustó, pero seguía confundido sobre por qué los chicos me llamaban "gay" con un tono tan desagradable. Entonces supe que estaba sin duda atraído a chicos, y solo a chicos.

Esta realidad iba claramente en contra de mi fe cristiana y de mi familia. Por la forma en que ellos hablaban del tema, concluí que la iglesia odiaba a la gente como yo. Esto me asustó, así que me escondí. Me aislé y me deprimí, y pasé muchos años intentando orar para que "Dios me quitara lo gay."

Mientras tanto, mi pastor juvenil enseñaba que la gente gay había escogido un estilo de vida malvado. Dijo que ellos podrían volverse heterosexuales si estaban dispuestos. Él añadió que, si ellos no habían "cambiado" aún, era porque no estaban lo suficientemente arrepentidos. A pesar de las sugerencias sutiles de mi pastor juvenil como: "si tu alguna vez tienes alguna lucha, solo dímelo", no había forma que alguien oyera de mis labios que yo era gay, no fuera a ser que me reprendieran y "enderezaran" ante toda la iglesia.

Eventualmente me involucré con un grupo auxiliar militar con la esperanza de ser apostado en West Point, Nueva York.

Esto finalmente me dio los medios para relacionarme con otros chicos, y pensé que sería el disfraz perfecto. Nadie tendría jamás qué saber la verdad.

Tener mi primer enamoramiento a los 17 años no ayudó en nada. No se lo dije nunca a él – ni a nadie. Para este tiempo, ya llevaba 5 años en depresión, aislamiento e ideas suicidas. El padre de mi amigo se dio cuenta de mi situación y comenzó a esparcir rumores sobre mi "suciedad sexual", yendo tan lejos como decirle a mis padres directamente: "controlen a su hijo."

El rumor se esparció como pólvora en mi grupo de educación escolar, en mi grupo juvenil, y en el grupo auxiliar militar. Todos mis amigos, incluyendo mi enamorado secreto, eventualmente me eliminaron de sus vidas debido a la presión de sus padres. Mis padres eventualmente se acercaron a mí sobre lo que estaba pasando, preguntando la aparente inocente pregunta, "¿Es ... algo de esto verdad?

Aterrado, me negué a decir la verdad. Mis padres querían confortarme, protegerme y animarme a través de lo que fuese que yo estuviese pasando – pero estaba seguro que todo esto cambiaría drásticamente si supieran la verdad. Así que, en vez de ello, orquestré mi propia salida.

Hice una lista mental: un puente, un montón de árboles, una noche lluviosa, y un accidental derrape fuera de la carretera. Era la coartada perfecta. Quería suicidarme, y tenía un plan.

Una noche, estaba lloviendo, y con la llave en el sistema de encendido, sabía que esa sería la tormenta de mi lista mental.

Estaba harto de esta vida y de esta lucha abrumadora. Aún así, mientras manejaba por esa carretera lluviosa, pensé en mi hermanita pequeña – mi amiga más cercana. Si me quitara la vida, no habría nadie para animarla y apoyarla. Entre más pensamientos de mi familia inundaban mi mente, más mis manos se aferraban al volante. Ninguna vida se perdería esa noche.

*Johnson, J. (2015). In Over My Head (Crash Over Me) [Grabado por Bethel Music y Jenn Johnson]. On *We Will Not Be Shaken* [Digital]. Shasta Lake, CA: Bethel Music. (2014).

Durante el camino a casa, prendí la música, y la voz de Jenn Johnson de la iglesia Bethel en California, llenó el interior deprimido de ese auto. Repentinamente me vi sobrecogido cuando el amor y la presencia de Dios cayeron sobre mí.[1]

En ese punto de desesperanza completa, experimenté la presencia salvadora de Dios. Hasta el día de hoy, cuando la vida se pone difícil, vuelvo a escuchar esa canción.

Mi último intento de ocultarme fue saliendo con una bella chica. Durante nuestros 2 años juntos, mis intentos de "fingirlo hasta lograrlo" no funcionaron. Nuestras charlas sobre compromiso y matrimonio se esfumaron a medida que ella lentamente se dio cuenta que el "hombre masculino" de sus sueños no era alguien en quien yo podría convertirme. Nunca podría amarla en la forma en que ella deseaba, así que terminé con todo en la forma más gentil que pude.

Unos meses después, en el verano de mis 19 años, salí del clóset con mis padres en la forma de una larga carta. Compartí sobre mi orientación, pero también fui muy claro en mi compromiso hacia un camino de celibato.

Pasó más de una semana después de haberla enviado, sin ninguna respuesta. Después, el momento llegó, su carta de respuesta estaba en mis manos, y con tan solo unas pocas palabras iniciales, 7 años de miedo desaparecieron:

"Liam, *no* nos avergonzamos de tí. Te amamos *tanto*."

CÉLIBE A LOS 20 AÑOS

Hoy, Liam tiene 20 años. En su búsqueda de Dios, él ha hecho un voto de soltería y celibato. "Esta vida, aún llena de muchas bendiciones y libertades," dice él "no siempre es fácil."

Aquí hay algunos retos que Liam enfrenta en su comunidad cristiana, incluso mientras busca rendir su sexualidad a Dios.

RESILIENCIA

No puedo evitar que la gente me vea en formas denigrantes que deconstruyen o ponen en duda quien soy en Cristo. A través de mi vida, a medida que he enfrentado una serie de serios problemas médicos, he aprendido por fe que el diablo tiene poder, pero no autoridad. Puedo encontrar gozo, paz, descanso y victoria — incluso en la injusticia.

Hay tiempo para estar triste, pero he encontrado que la intensidad del sufrimiento pasará; Dios no disfruta verme sufrir; por el contrario, él desea verme tener una vida abundante (Juan 10:10).

No puedo vivir bajo el estrés de las expectativas de otros. Elijo vivir cada día en Cristo, rendido a su amor y su presencia. Tomo este camino muy en serio, e incluso escribí mi propio voto de celibato para ayudarme a enfocarme en mis intenciones.

FAMILIA

Aunque mis padres me aman, siento presión de su parte para considerar casarme con una mujer. Entiendo sus buenas intenciones, pero la realidad de mi orientación significa que no es saludable para mí vivir en la sombra de esta expectativa.

ESCUELA

Incluso en mi Universidad Cristiana, he asistido a clases donde el profesor enseñaba cómo la comunidad LGBT+ es la razón del declive de la Sociedad, que la gente como yo corrompe y destruye la familia, los medios, la cultura y la política.

VOLUNTARIADO

Mi pasión por los ministerios infantiles se encuentra con gran oposición de parte de madres que creen que *"un maricón* no tiene lugar en los ministerios infantiles."* He recibido miradas amenazantes mientras ellos alejan a sus hijos de mí como si yo tuviera una enfermedad fatal.

TRABAJO

Trabajando para una organización cristiana sin animo de lucro, fui recientemente notificado, "no podemos revelar la razón, pero no te recibiremos de nuevo en tu puesto el próximo año." Aunque no puedo estar seguro, ciertas circunstancias durante mi tiempo allí me llevaron a creer que ellos me veían como un riesgo.

*Este es un término derogatorio y extremadamente ofensivo.

SEIS ETAPAS DE ACEPTACIÓN

CÓMO REACCIONAN LOS PADRES CON FRECUENCIA

NINGÚN HIJO LGBT+ ES UN ***PADECIMIENTO****, SIN EMBARGO LOS PADRES (Y OTROS MIEMBROS DE LA FAMILIA) A MENUDO EXPERIMENTAN GRADOS DE* ***DUELO*** *CUANDO UN HIJO SALE DEL CLÓSET. ALGUNOS EXPERIMENTAN TODAS LAS ETAPAS, Y OTROS EXPERIMENTAN SOLAMENTE CIERTAS ETAPAS. ALGUNOS TRANSITAN POR LAS ETAPAS MUCHAS VECES DE MANERA NO LINEAL, ANTES DE LLEGAR A LA ACEPTACIÓN. PARA OTROS PADRES LA ACEPTACIÓN VIENE INMEDIATAMENTE.*

NO HAY UNA SOLA MANERA CORRECTA DE HACER EL DUELO.

Incluso los padres que ya sospechan que su hijo es LGBT+ pueden quedar conmocionados. Otros que no tenían idea pueden experimentar algo de conmoción o nada en lo absoluto. Nadie puede predecir cómo responderá un padre. Una madre desprevenida dijo: "Aunque no tenía idea, tan sólo es una cosa más que sabíamos de él. Estoy tan agradecida que nos haya contado." Otros sienten que su mundo se ha vuelto al revés, como su comprensión de la vida, la familia y la fe que se derrumban.

La conmoción inicial puede colocar a los padres a modo de autoprotección. Al igual que la respuesta de "lucha o huida" diseñada para protegernos, una situación de pánico puede hacer que los padres nieguen la realidad frente a ellos. Es similar a lo que un hijo experimenta durante la etapa de **esconderse.** Si no son cuidadosos, los padres minimizarán o desacreditarán la revelación de su hijo. Una madre dijo: "Tú no eres lesbiana. Has salido con chicos." Un padre dijo: "No tenemos homosexuales en nuestra familia."

Cuando **la negación** falla, los padres pueden tratar de forzar su realidad preferida. Cuando esto falla, la frustración puede convertirse en **ira**. Debajo de esa ira yace su propio dolor, pero las expresiones de ira lastimarán a su hijo. La ira puede provocar que un adolescente luche por *validar* su identidad, al igual que los padres *luchan* por negarla. Los jóvenes LGBT+ y su padres a menudo experimentan emociones idénticas. La diferencia es el tiempo: un joven LGBT+ está terminando la etapa cuando los padres aún no quieren iniciarla (consulta la sección "Navegar las brechas relacionales"). Los padres y los hijos se necesitan mutuamente durante este tiempo; la paciencia, la escucha y el respeto son fundamentales para preservar la conexión relacional y la confianza.

Muchos jóvenes LGBT+ piensan o tienden a pensar que pueden "orar que Dios les quite lo gay". Pensando que podría funcionar, concluyen que no hay razón para decírselo a nadie. Lamentablemente, esto los lleva a fatigarse en su encierro. Salir, entonces, no es sólo una declaración de identidad; también es una salida del encierro. Los padres en esta etapa de **La Negociación** pueden tratar de negociar que su hijo mantenga silencio. Un padre le dijo a su hijo: "Este no eres tú. No se lo digas a nadie ". Lo subyacente aquí es la realidad de que la mayoría de los adolescentes LGBT+ ya han estado esperando mucho tiempo. Todo intento de negociar con un joven LGBT+ para que permanezca en su encierro, este a menudo lo interiorizará como rechazo de sus padres.

Los padres (u otros miembros de la familia) que niegan la realidad, expresan enojo y pretenden exigir imposibles, que generalmente dañan la confianza relacional. **La aceptación** comienza cuando los padres se dan cuenta de que no pueden cambiar la sexualidad o la identidad de género de su hijo. Este reconocimiento puede llevar a un nuevo ciclo de duelo. Renunciar al control de las esperanzas y los sueños que los padres tenemos para nuestros hijos conduce a la tristeza, y para algunos, a una **depresión** severa.

Hay caminos rápidos y fáciles o largos y difíciles hacia la aceptación. Si bien no hay una manera correcta de hacer el duelo, es fundamental que los padres manejen cualquier dolor dentro de una postura amorosa. Ningún padre puede simplemente apagar su dolor o decepción. Pero debemos llevar ese dolor a Cristo y a nuestra red de apoyo, en lugar de hecharlo sobre nuestros hijos. De lo contrario, nuestra aflicción probablemente añada un trauma adicional (rechazo familiar) al corazón de nuestros hijos. Es importante recordar que aceptar a tu hijo no significa que estés aprobando las relaciones gay.

DEBEMOS ASPIRAR A HACER DUELO ADECUADAMENTE.

LOS PADRES DE HIJOS LGBT+ SE ABREN SOBRE CADA ETAPA.

PAT Y KATHY — LA CONMOCIÓN

"Internamente, nuestra reacción personal fue una de profunda tristeza y asombro, y nos sentimos como si hubiéramos fallado como padres. Teníamos tanto miedo. Fue impactante. Nunca esperábamos que esto le pasara a alguien de nuestra familia. Sentimos que seguramente debía ser una elección. Externamente, nuestra respuesta fue transmitir nuestro amor por nuestro hijo pase lo que pase, y decirle que él es un miembro valioso de nuestra familia. Reconocimos que muchas cosas estaban cambiando, pero que nuestro amor por él nunca cambiaría."

LA NEGACIÓN — JERRY Y TRACY

"Nuestra reacción fue pura incredulidad y negación. Nuestro hijo siempre fue tímido, y nos sentíamos como que debía estar experimentando algo de confusión. Simplemente no podíamos dejar de pensar que esto pasaría. Solo pensamos: 'seguramente sea sólo una fase.'"

THERESA — LA IRA

"Me sentí un poco enojada. Temía por mi hija y lo que una vida gay significaría para ella. Me decepcioné de mi misma, pensando que debí haber hecho algo mal para hacer que ella se sintiera de esa manera."

LA NEGOCIACIÓN — JEFF

"Lamento haberle dicho a mi hija cosas como '¿Por qué no intentas cambiar?' y '¿Cómo puedes saberlo a menos que le des una oportunidad a un chico? ' En definitiva, estaba tratando de negociar para que ella cambiara su orientación sexual. Quería poder decir algo o hacer alguna sugerencia con la que ella se emocionara, o al menos aceptara. Este enfoque sólo retrasaba el que nuestra hija fuera capaz de saber que la aceptamos como persona. Mirando hacia atrás, haber actuado así no fue sabio de nuestra parte."

WAYNE — LA DEPRESIÓN

"Temía por la salud física y emocional de mi hijo. Me preocupaba que pudiera alejarse de Cristo. Sentí una tristeza y dolor extremos por no haberlo sabido antes. Aunque había indicios sutiles de que estaba luchando con su sexualidad, los pasé por alto y no estuve allí para él. Su vida estaría ahora plagada de complicaciones, decepciones y dolores de corazón, cosa que me abrumaba. Era frustrante tratar de buscar el apoyo de mi familia, de la iglesia y de la comunidad cristiana en general. ¿Cómo se supone que iba a conversar con él en amor y brindarle apoyo, y seguir siendo fiel a Dios? Me preocupaba que cualquier respuesta equivocada pudiera empujarlo a infligirse algún tipo de daño, o a alejarse de nuestra familia. El temor, el dolor, la frustración y la profunda tristeza fueron abrumadores."

LA ACEPTACIÓN — DANICA

"Cuando mi hijo salió del clóset, mi mente recordó todos los comentarios desconsiderados e insensibles que había hecho sobre los gay. De repente, sentí una profunda necesidad de mostrarle a mi hijo cuánto lo sentía por mis palabras y decirle cuánto lo amo."

RIESGOS QUE ENFRENTAN LOS JOVENES LGBT+

LOS 2 PRINCIPALES FACTORES DE RIESGO DE SUICIDIO EN LA JUVENTUD LGBT+

RELATIVO A SUS PARES HETEROSEXUALES Y CISGENERO,

LOS JOVENES LGBT+ SON...[1,2]

91% mas propensos a ser acosados

46% mas propensos a ser victimizados

3X más propensos a no asistir al colegio (por temor)

2X más propensos a no asistir a la universidad

[1]Schuster MA, Bogart LM, Klein DJ, et al. A longitudinal study of bullying of sexual-minority youth. *N Engl J Med* (2015): 372:1872-1874.

[2]Durso LE & Gates GJ (2012). Serving our youth: Findings from a national survey of service providers working with lesbian, gay, bisexual, and transgender youth who are homeless or at risk of becoming homeless. Los Angeles: The Williams Institute with True Colors Fund and The Palette Fund.

JÓVENES LGBT+ EN FAMILIAS EVANGÉLICAS:[3]

85% se sentían incómodos de salir del clóset con sus padres

81% temían que su familia los viera como algo repugnante

57% temían que su familias los rechazara

42% se les prohíbe compartir con otros

9% son literalmente expulsados de su casa

[3]VanderWaal, C.J., Sedlacek, D. & Lane, L. (2017). The Impact of Family Acceptance or Rejection among LGBT+ Millenials in the Seventh-day Adventist Church. *Journal of Social Work and Christianity*, 44(1-2), 72-95.

¿ES UNA EMERGENCIA?

Muchas personas con tendencias suicidas no son suicidas *inminentes*. Aquí hay 4 factores que indican que se necesita *urgentemente* ayuda:

1. PENSAMIENTOS SUICIDAS
2. UN PLAN ESPECIFICO
3. INTENCION DECLARADA
4. ACCESO A RECURSOS

LÍNEA NACIONAL DE PREVENCIÓN DEL SUICIDIO: (800) 273-8255

Comunícate con un consejero licenciado si tu ser amado tiene tendencias suicidas. **Si es inmediatamente suicida, llama a la línea de emergencia o llévale al hospital de inmediato.** Si no estás seguro, llama a la Línea Nacional de Prevención del Suicidio para una evaluación adicional.

Manténte calmado y alerta ante estos riesgos. Permanece presente en la vida diaria de tu ser amado.

CONVERSACIÓN DE SEGUIMIENTO

GARANTIZAR LA SEGURIDAD DE TU ADOLESCENTE

Los jóvenes LGBT+ son 2-4 veces más vulnerables al suicidio que sus pares heterosexuales y cisgéneros. Son 8 veces más vulnerables si ocurre un rechazo familiar.[1]

Debido a los factores de trauma más fuertes, los jóvenes son susceptibles a internalizar la expectativa de que serán maltratados. Muchos pierden esperanza, y algunos hasta la vida. Estas son algunas frases útiles que puede usar para seguir la conversación después de que un joven salga del closet para garantizar su seguridad y su apoyo.

CÓMO EXPRESAR LA ACEPTACIÓN MIENTRAS MANTIENES TUS CREENCIAS

"Mamá y Papá te aman. Siempre te amaremos.

Estamos muy agradecidos de que nos lo hayas dicho. Eres muy valiente.

Estamos contigo pase lo que pase.

Esta es tu casa – ¡siempre!
Somos tu familia – ¡siempre!

Realmente queremos escuchar tu historia completa."

Has vivido ***varios años*** *sin el apoyo de mamá y papá.*

Sentimos mucho *no haberlo sabido, y no haber estado allí para ti.*

Nos gustaría saber más *acerca de cómo fue eso para ti.*

¿Tienes o alguna vez has tenido pensamientos ***suicidas?***

¿Estás siendo o has sido objeto de ***burlas o bullying?***

¿Cómo reaccionaron tus ***amigos?***

¿Cómo reaccionaron ***las personas en la iglesia?***

¿Hay ***algo más*** *que te gustaría que sepamos ahora?*

¿Prefieres que ***compartamos esto con otros*** *o* ***mantengamos tu privacidad?***

[1]Ryan C, Russell ST, Huebner D, Diaz R, & Sanchez J. Family Acceptance Project™. Family rejection as a predictor of negative health outcomes in white and Latino lesbian, gay, an bisexual young adults. *Pediatrics* (2009), 123 (1) 346-352.

CONSTRUIR UNA RED DE APOYO SOSTENIBLE

Dado lo que sabemos acerca de los riesgos que enfrentan a los adolescentes LGBT+, es vital enfatizar la importancia de ayudar a los jóvenes y adultos jóvenes LGBT+ a desarrollar un apoyo efectivo. Muchos jóvenes LGBT+ carecen de un apoyo adulto adecuado. **La corrección rápida de los errores relacionales** le dará al adulto un espacio para desempeñar un papel crítico en el desarrollo de una persona joven.

Si tu familiar es lesbiana, gay, bisexual, transgénero, incierto, queer, intersexual, asexual, pansexual, genderqueer, o cualquier otra identidad o inclinación relacionada con la sexualidad o el género, **el proceso de autodescubrimiento y los factores de riesgo que enfrentan muchos jóvenes son similares.** Por esta razón, nuestra guía sobre cómo deberían responder los padres sigue siendo la misma.

PADRES: *Si su hijo ha sido juzgado, es posible que haya perdido la esperanza o abandonado la fe (o la iglesia).* ***Deben ayudarlos a construir una red de apoyo.***

LÍDERES DE MINISTERIO: *Puedes ser la primera persona con la que un adolescente salga del clóset. Date conocer como una persona segura y* ***ayuda a los estudiantes a acceder a otro tipo de apoyo adulto seguro.***

EVITA LOS 2 EXTREMOS:

PERMITIR QUE EL SILENCIO CORTE CUALQUIER DIÁLOGO

HABLAR CONSTANTEMENTE SOBRE EL GÉNERO / SEXUALIDAD DE TU HIJO

Aún los padres que responden amorosamente a menudo se sienten afligidos. **La conmoción, la tristeza, o la incomodidad** pueden provocar un **silencio creciente** que reduce la conexión familiar. Este silencio puede transmitirle a su hijo que no estás contento con él o ella. **Sostener una conversación saludable que valora a nuestros hijos es esencial para una fuerte conexión entre padres e hijos.**

RECHAZO FAMILIAR & DESCONEXIÓN FAMILIAR

Una adolescente sale del clóset. Sus padres la abrazan. Lloran. Dicen, "te amamos pase lo que pase." **Después, el tema nunca se plantea de nuevo** porque sus padres se sienten incómodos con la homosexualidad. Este silencio aísla a una persona joven, **cargando con el estrés interno** de su propia fuerza. Mantener este estrés por dentro, en lugar de verbalizarlo en una conversación segura, **aumenta el riesgo de ideación suicida.** Podemos decir que la "desconexión familiar", incluso en un hogar amoroso, funciona de manera similar a las formas activas de rechazo. **Aunque la desconexión familiar no esté destinada a rechazar, puede producir riesgos peligrosos para los jóvenes.**

EVITA 2 ERRORES GRANDES:

1. PEDIRLE A TU HIJO QUE **OCULTE** SU SEXUALIDAD O GÉNERO
2. **DIVULGACIÓN** DE SU SEXUALIDAD SIN PERMISO.

PUEDE QUE SEAS UNA DE LAS POCAS PERSONAS QUE CONOCE. DEBES SER PARTE DE SU RED DE APOYO

RED DE APOYO SOSTENIBLE

JESÚS

PADRES

OTROS MIEMBROS DE LA FAMILIA CERCANA

OTROS FAMILIARES

CONSEJEROS (1-2)

PASTORES (3-5)

SERVICIOS SOCIALES

MENTORES (3-5)

PARES*

FAMILIA DE DIOS

PERSPECTIVAS CLAVES DE UNA RED DE APOYO SALUDABLE

LOS PADRES pueden hacer preguntas útiles que les permitan determinar qué tan bien internaliza su hijo el amor de Dios y la aceptación de su familia. Tales preguntas podrían incluir:

"En tu identidad espiritual, ¿Dios está a favor tuyo o en contra tuyo?"

"¿Sientes que mamá y papá de verdad te aman y te aceptan?"

"¿Qué apoyo adicional crees que necesitas más?"

LOS PASTORES pueden preguntarle a un joven con quién del staff pastoral se sentiría seguro para compartir, con el fin de expandir la red de apoyo.

LOS CONSEJEROS son necesarios no porque un hijo sea LGBT+, sino porque son una ayuda vital para cualquier persona que pueda estar experimentando ansiedad, miedo, dolor, o trauma.

LOS DEMÁS MIEMROS DE LA FAMILIA pueden desempeñar un papel fundamental para aumentar el apoyo de los padres (u ofrecer aceptación) a los jóvenes cuyos padres están afligidos, enojados, que sienten rechazo, o que aún no saben.

LOS MENTORES ADULTOS son hombres y mujeres de 3 a 30 años mayores que tu hijo. Nunca subestimes la necesidad que tiene un joven de una figura paterna (o la de hermano mayor) y materna (o la de hermana mayor) que infundan valor a sus vidas. Los mentores son vitales para cada ser humano.

SI TU HIJO TIENE MENOS DE 21 AÑOS: Permite, pero no estimules, un apoyo adicional de sus pares. Los pares inmaduros algunas veces chismosean, se burlan, o rechazan. Esto puede aumentar el riesgo de ideación suicida. No impidas amistades saludables, pero ten en cuenta este riesgo.

NUNCA REVELES LA ORIENTACIÓN SEXUAL O LA IDENTIDAD DE GÉNERO DE UNA PERSONA JOVEN SIN SU PERMISO.

AÚN SI UN REPORTE OBLIGATORIO ES NECESARIO, DEBIDO A UNA AMENAZA DE DAÑO PERSONAL O DAÑO COMETIDO CONTRA UN MENOR DE EDAD, DICHO INFORME PUEDE REALIZARSE SIN DIVULGAR LA ORIENTACIÓN SEXUAL O LA IDENTIDAD DE GÉNERO.

LAS PALABRAS IMPORTAN

TU LENGUAJE CONVERSACIONAL PUEDE DAÑAR O GENERAR CONFIANZA RELACIONAL. ¡CADA PALABRA CUENTA!

CAMBIO DE POSTURA ES NUESTRO CURRÍCULO para líderes de iglesias se basa en la mejor práctica, históricamente establecida, en la que misioneros deben comprender la historia, cultura e **idioma** de las personas para poder compartir el evangelio de manera efectiva.

Esto es especialmente cierto cuando los misioneros intentan compartir de Jesús con personas que han sido excluidas, condenadas, o denigradas por cristianos. Cada seminario de Cambio de Postura aborda la realidad de que el así llamado "evangelio de exclusión," o de condena, no tiene poder para alcanzar a las personas que ya fueron rechazadas. Ya han escuchado demasiadas **palabras y clichés hirientes** que los alejaron de la iglesia.

Nuestro seminario para padres y familias de personas amadas LGBT+, enseña que el amor nunca está limitado por las diferencias. El amor puede sobrepasar las brechas de creencias en todas las relaciones humanas, pero solo si el amor es demostrado con cada acción, actitud, y **palabra.**

En las familias, las **palabras** tienen el poder de generar confianza o destruirla.

Nuestras sesiones de apoyo nos dan el privilegio de llegar directamente a personas LGBT+ y sus familias en todo el mundo. En nuestros inicios, aún siendo un ministerio especializado en la atención a LGBT+, **nuestras palabras** fueron fuente de profundas heridas para muchos jóvenes LGBT+. Más de una década de experiencia ha sensibilizado a nuestro personal sobre la importancia de favorecer una postura oyente-aprendiz sobre la postura de profesor-indicador. **Hablar demasiado** puede llevar a pronunciar involuntariamente palabras hirientes.

En total, miles de encuentros con personas LGBT+ han cultivado en nuestro currículo, Cambio de Postura el valor central de que **cada palabra cuenta.** Nuestro personal, voluntarios y pasantes a diario escuchan este recordatorio, mientras buscamos mantener una ética central consistente y reflexiva en torno a que **el lenguaje importa.**

"NO DIGAN MALAS PALABRAS. AL CONTRARIO, DIGAN SIEMPRE COSAS BUENAS, QUE AYUDEN A LOS DEMÁS A CRECER ESPIRITUALMENTE, PUES ESO ES MUY NECESARIO."

- EFESIOS 4:29

"UN TRANSGÉNERO"
"UN TRANS"
"TRANSGENDERISMO"
"TRANSGENDERADO"
"TRANSGENDERANDO"
"ME NIEGO A UTILIZAR ESOS PRONOMBRES"

Algunas veces, los cristianos usan lenguaje para hablar sobre las personas LGBT+, que ellos mismos ni siquiera usan. Cuando hacemos esto, da la impresión de que **no los estamos escuchando, y no importa lo que tengan para decir.** Toma la decisión de no hablar un "idioma extranjero." En caso de duda, pregunta qué términos, nombres, o pronombres prefiere.

Nota: Muchas personas usan los términos homosexualidad y transgénero de forma intercambiable, pero la orientación sexual y la identidad de género son dos cuestiones diferentes.

"LOS GAYS"
"SEXUALMENTE ROTO"

"LUCHA CON SU HOMOSEXUALIDAD"

"LAS PALABRAS AMABLES SON COMO LA MIEL: ENDULZAN LA VIDA Y SANAN EL CUERPO."
- PROVERBIOS 16:24

"LA RESPUESTA AMABLE CALMA EL ENOJO; LA RESPUESTA GROSERA LO ENCIENDE MÁS."
- PROVERBIOS 15:1

"Y LO MISMO PASA CON NUESTRA LENGUA. ES UNA DE LAS PARTES MÁS PEQUEÑAS DE NUESTRO CUERPO, PERO ES CAPAZ DE HACER GRANDES COSAS. ¡ES UNA LLAMA PEQUEÑA QUE PUEDE INCENDIAR TODO UN BOSQUE!" *- SANTIAGO 3:5*

"EL QUE HABLA SIN PENSAR HIERE COMO UN CUCHILLO, PERO EL QUE HABLA SABIAMENTE SABE SANAR LA HERIDA."
– PROVERBIOS 12:18

"DIOS MÍO, ¡NO ME DEJES DECIR NI UNA SOLA TONTERÍA!"
– SALMOS 141:3

Si tu familiar se identifica como gay, e insistes en referirte a él como "homosexual," interpretará tu uso de esta palabra como un **juicio religioso.**

A lo que tú puedes llamar "pecado," muchos seres amados LGBT+ le llaman "mi identidad". Lo que ellos escucharán es **"Dios me ama, él me odia."** Elije tener conversaciones auténticas en lugar de clichés pegadizo.

"MIS QUERIDOS HERMANOS, PONGAN ATENCIÓN A ESTO QUE LES VOY A DECIR: TODOS DEBEN ESTAR SIEMPRE DISPUESTOS A ESCUCHAR A LOS DEMÁS, PERO NO DISPUESTOS A ENOJARSE Y HABLAR MUCHO..." – SANTIAGO 1:19-20

"SI ALGUIEN SE CREE MUY SANTO Y NO CUIDA SUS PALABRAS, SE ENGAÑA A SÍ MISMO Y DE NADA LE SIRVE TANTA RELIGIOSIDAD."
– SANTIAGO 1:26

"A LOS HERMANOS DE LA IGLESIA, RECUÉRDALES QUE ... NO DEBEN HABLAR MAL DE NADIE, NI DISCUTIR. DEBEN SER AMABLES CON TODOS Y MOSTRAR HUMILDAD EN SU TRATO CON LOS DEMÁS." – TITO 3:1-2

"CUANDO EL SABIO HABLA, A TODOS LES CAE BIEN; CUANDO EL TONTO ABRE LA BOCA, PROVOCA SU PROPIA RUINA.... ¡PERO PALABRAS NO LE FALTAN!"
– ECLESIASTÉS 10:12-14

"ESTILO DE VIDA GAY"
"DECISIÓN DE ESTILO DE VIDA"

"PREFERENCIA SEXUAL"

Tu familiar se sentirá culpado por elegir atracciones del mismo sexo. **Muchos adolescentes son culpados** por vivir un "estilo de vida gay" cuando **ni siquiera están saliendo con alguien.**

Las parejas casadas homosexuales **supondrán que piensas que son promiscuas** si te refieres a su relación como un "estilo de vida."

Estas frases son degradantes, **transmiten juicio,** y demuestran falta de comprensión.

Tus seres amados LGBT+ sentirán que están siendo **ridiculizados por ser tan estúpidos.** Lo que este tipo de declaración transmite es: "¿Acaso no lo ves?!"

Si un pecador no puede ser cristiano, todos estamos en un gran problema. Tal vez no coloquemos un "prefijo" frente a nuestra propia identidad cristiana en nuestro idioma. Pero agregamos el prefijo "pecado" con nuestras acciones, cada vez que elegimos otras identidades e inclinaciones por encima de Dios. Entanto es cierto que cada persona es responsable ante Dios por su vida, **es contraproducente negar la autenticidad de la identidad espiritual** de nuestros seres amados. (Nota: muchos que se identifican como "cristiano gay" mantienen una creencia bíblica tradicional y no actúan según los deseos sexuales del mismo sexo).

"NO HAY TAL COSA
COMO UN CRISTIANO GAY"

REDUCIR DISTRACCIONES LATERALES

El apóstol Pablo enseña que un viaje espiritual que culmina en el arrepentimiento requiere las semillas de "paciencia, tolerancia, y bondad" (Romanos 2:1-4). Pero, ¿cómo pueden los adolescentes y adultos jóvenes comenzar este viaje hacia Dios y escuchar su voz cuando el camino está escabrosamente bloqueado por la injusticia, el maltrato, y el miedo?

Al eliminar obstáculos y curar heridas, la identidad espiritual tiene oportunidad de crecer.

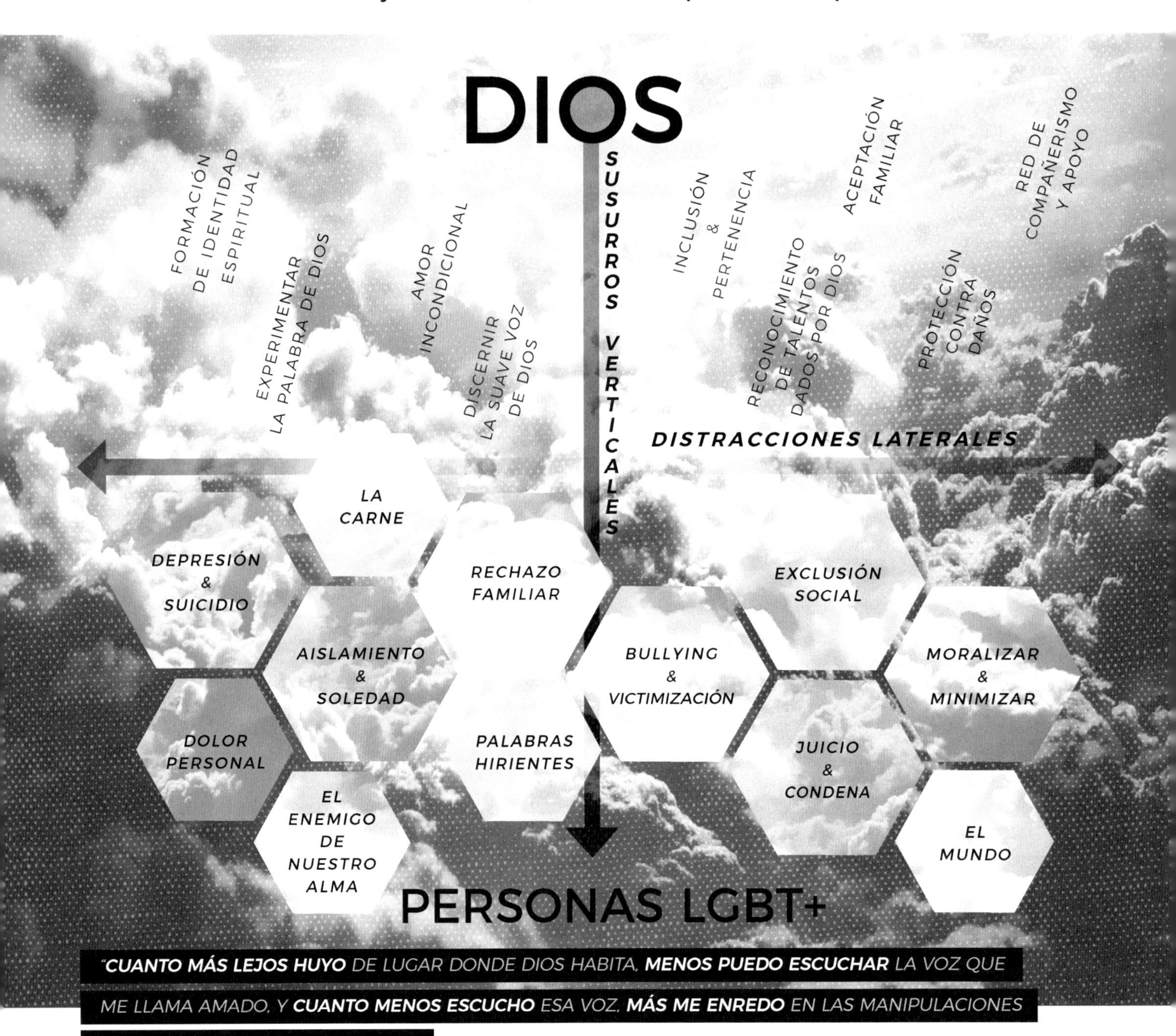

*"**CUANTO MÁS LEJOS HUYO** DE LUGAR DONDE DIOS HABITA, **MENOS PUEDO ESCUCHAR** LA VOZ QUE ME LLAMA AMADO, Y **CUANTO MENOS ESCUCHO** ESA VOZ, **MÁS ME ENREDO** EN LAS MANIPULACIONES Y JUEGOS DE PODER DEL MUNDO."*

– HENRI J.M. NOUWEN, *EL REGRESO DE HIJO PRÓDIGO*

QUITAR LAS ROCAS QUE BLOQUEAN EL CRECIMIENTO

LAS PERSONAS PUEDEN CRECER EN UNA IDENTIDAD DE FE SI SE LES DA ESPACIO PARA APERSONARSE DE SU HISTORIA ANTE DIOS

Cuando los fariseos llevaron a la mujer encontrada en el acto de adulterio a Jesús (Juan 7:53-8:11), confiaban en su determinación de que fuera apedreada a muerte. Jesús, por otro lado, se inclinó y comenzó a dibujar en la arena. Uno por uno, los fariseos arrojaron sus rocas y se alejaron. Al identificar sus pecados, Jesús deshizo el poder de las "rocas" destinadas a rechazar, condenar, y literalmente matar.

Jesús protegió a una persona pecaminosa (y vulnerable). Contra una larga historia de hombres que usaban y condenaban a esta mujer, **Jesús trascendió aquellos "juegos de poder" para traer la presencia de Dios a sus heridas. Al hacerlo, ella inmediatamente se sintió lo suficientemente segura y valorada como para decirle la verdad sobre su vida a Jesús.**

Cuando alguien tiene una historia traumática que involucra bullying, exclusión, rechazo familiar, o condena religiosa, no hay espacio para que reconozca y revele la verdad de su vida. Toda su energía se ve desviada por el "címbalo retumbante" de este mundo. Están tan abatidos que la mayor parte de su energía se centra en la autoprotección frente a amenazas reales y percibidas.

Mi hijo de 13 años nos contaba cómo era ridiculizado por sus creencias en el colegio. Hizo una declaración muy simple pero poderosa: "Papá, **cuando la gente me ataca, me da ganas de demostrar que están equivocados.** Pero, ¿sabes qué? Esa sensación de querer demostrar que están equivocados — es solo la naturaleza humana."

Cada herida en la vida de una persona puede convertirse en una "distracción lateral" que impide la capacidad de escuchar los susurros de Dios en tu vida. Estas "rocas" tienen un tremendo poder para bloquear a alguien en su crecimiento espiritual vertical. Además, les obliga a doblegarse y adoptar una postura defensiva, teniendo que demostrar que tienen razón, que son dignos o talentosos. **El problema con las "distracciones laterales" es que en realidad pueden nublar la capacidad de una persona para ver su vida tal como es.** ¿Cómo puedo contar la verdad sobre mi vida si no puedo verla?

Lo que Jesús hizo por la mujer encontrada en adulterio fue un acto de justicia. En nuestro mundo de hoy, muchos evangélicos ven todo enfoque en la "justicia" como una afrenta a la verdad bíblica. Sin embargo, lo que Jesús hizo fue pura justicia. Su acto de protegerla fue igualmente un acto de guerra espiritual.

CADA HERIDA EN LA VIDA DE UNA PERSONA PUEDE CONVERTIRSE EN UNA "DISTRACCION LATERAL" QUE IMPIDE EL CRECIMIENTO ESPIRITUAL VERTICAL.

Cuando protegemos, cuidamos, servimos, confortamos, invitamos, y animamos a las personas LGBT+, en esencia estamos dando un paso de acción de justicia, estamos entrando en una guerra espiritual para derribar las "rocas religiosas" que se han usado repetidamente para juzgarlos y excluirlos.

Cuando permanecemos en Cristo, cubrimos nuestros esfuerzos en la oración, y nos disponemos para aprender, escuchar, y amar a las personas LGBT+, Dios puede ungir nuestros esfuerzos para producir algo espiritual — algo que el dicho "ama al pecador, odia el pecado" no puede lograr. Dios puede usarnos para luchar contra los "juegos de poder", del "címbalo retumbante" y los "clichés provocadores" que alejan a la gente. Cuando esto suceda, no te sorprendas si las personas comienzan a revelar la verdad de sus vidas.

En una sesión de apoyo, un joven homosexual inesperadamente confesó la incertidumbre sobre su sexualidad. Durante meses, insistió — frente a sus padres — en que para Dios las relaciones homosexuales son algo bueno.

En el poder del espacio seguro, provisto para él semana tras semana durante muchos meses, sin querer susurró: "Sólo porque diga que para Dios está bien, no significa que lo esté — y tampoco significa que siempre sienta que está bien. A veces, me preocupa estar viviendo en pecado."

En lugar de dejarme llevar por un entusiasmo frenético y decirle "finalmente lo entiendes", mi respuesta fue de naturaleza confesional:

"Créeme, conozco ese sentimiento. No es cómodo. Dado lo mucho que sé que amas a tu novio, ¿qué te pasa cuando sientes esta incertidumbre o miedo?"

Cuando desarmamos toda condenación, eso crea un espacio para que las personas digan la verdad de su historia, porque ya no tienen que esconderse para autoprotegerse. Cuando te comprometes a crear un espacio seguro para una conversación honesta, no te sorprendas si Dios aparece..

"SI YO HABLASE LENGUAS HUMANAS Y ANGÉLICAS, Y NO TENGO AMOR, VENGO A SER COMO METAL QUE RESUENA, O CÍMBALO RETUMBANTE..
- 1 COR. 13:1

NAVEGAR LAS BRECHAS RELACIONALES

El objetivo para los padres (y otros miembros de la familia) es **hacer bien el duelo** y **evitar infligir conmoción, negación, enojo, negociación o depresión** en sus hijos LGBT+. Dicho esto, ningún padre es perfecto. Como hemos dicho, incluso los padres cariñosos cometerán errores en este viaje. Todos los padres cometemos muchos errores.

Jamás debemos minimizar el dolor o el maltrato que los jóvenes LGBT+ puedan haber experimentado, y ciertamente debemos comprometernos a hacer todo lo posible para evitar el maltrato dentro de los hogares, las escuelas, los vecindarios, y las iglesias. Sin menoscabar este enfoque, consideremos por un momento todas las brechas que los padres están procesando en las horas, días, semanas, meses, y años posteriores a la salida del clóset de un hijo.

BRECHA DE TIEMPO #1: BRECHA DE MADUREZ

Ya sea que un adolescente es gay, heterosexual, o transgénero, todo adolescente desea ejercer autonomía en la toma de decisiones. La brecha de madurez trae a relucir la diferencia de edad entre **el deseo del adolescente LGBT+ de ejercer autonomía en su toma de decisiones y el sentido de responsabilidad de los padres de supervisar tales decisiones.** Como se detalla a continuación, la autoridad debe ejercerse progresivamente a medida que nuestros hijos LGBT+ crecen, pero encontrar el equilibrio correcto puede generar tensión para todos los involucrados. Además, aunque algunas peticiones que los jóvenes LGBT+ hacen a sus padres son muy similares a las de otros adolescentes (como el permiso para salir en una cita), otras son bastante únicas (como pedir tomar bloqueadores de hormonas). ¿Te mantienes firme? Quizás, pero de ser así, ¿por cuánto tiempo?

Hay una temporada para decir "no" y una temporada para permitir que nuestros hijos adultos tomen sus propias decisiones ante Dios. Los padres que ejercen un "no" absoluto, finalmente acaban enviando a sus hijos jóvenes al mundo sin una guía para tomar decisiones personales. Permitir que tu adolescente paulatinamente tome más y más de sus propias decisiones es necesario para su madurez emocional, mental, y espiritual.

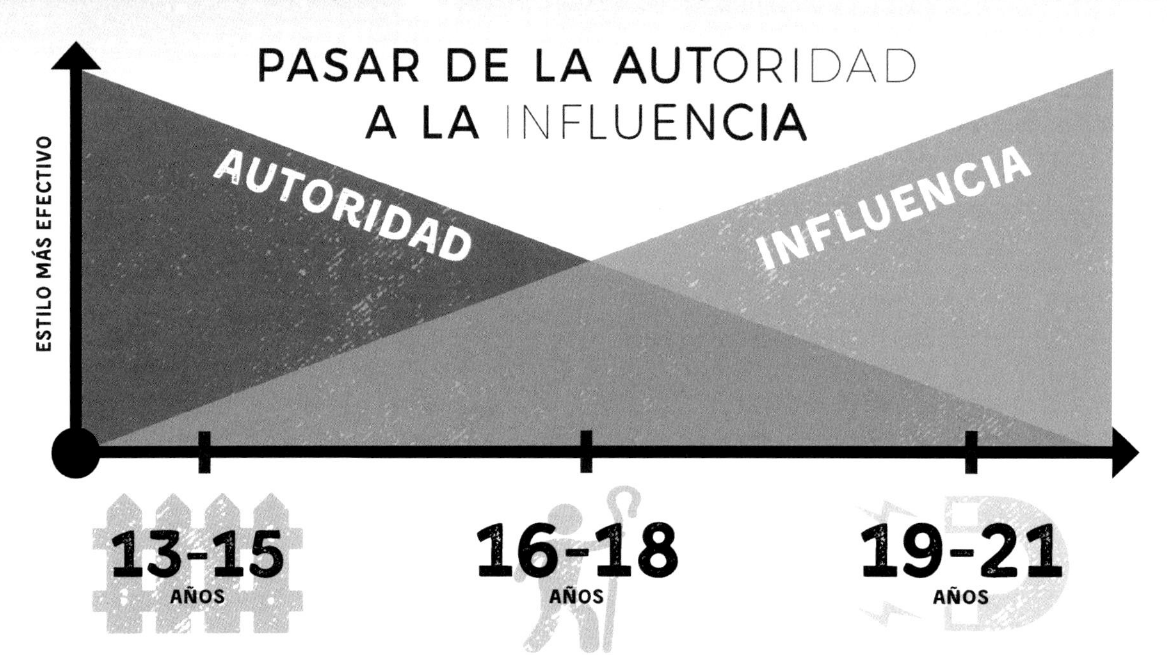

13-15 AÑOS	16-18 AÑOS	19-21 AÑOS
CONSERVA AUTORIDAD	RELAJA LA AUTHORIDAD	SUELTA AUTORIDAD
LÍMITES FIRMES	LÍMITES FLEXIBLES	LÍMITES LIBRES
PROTECTOR	CONSEJERO	INFLUENCIADOR
MAESTRO MORAL	GUÍA PASTORAL	AMIGO DE CONFIANZA

LA PATRIA POTESTAD DE LOS PADRES DEBE LLEGAR A TRANSFORMARSE EN INFLUENCIA DE CONFIANZA A MEDIDA QUE LOS ADOLESCENTES PASAN A SER ADULTOS. TODO PADRE CON HIJOS GAY O HETEROSEXUALES, DEBE EVENTUALMENTE SOLTAR Y CONFIAR EN DIOS.

BRECHA DE TIEMPO #2: BRECHA DE REVELACIÓN

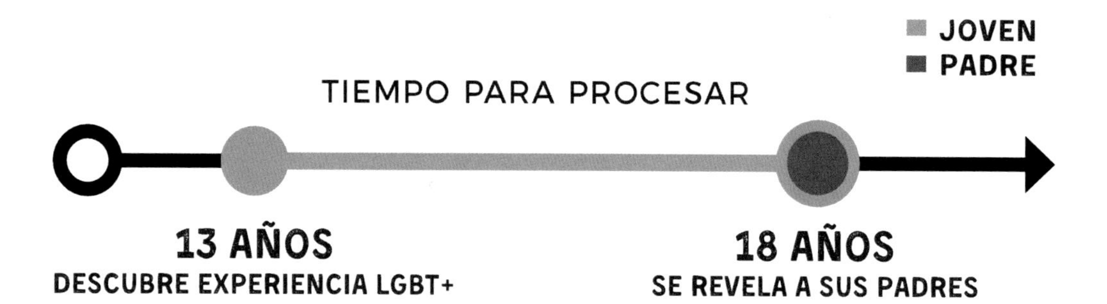

La brecha de revelación representa el tiempo entre **cuando un adolescente descubre su experiencia LGBT+ y cuando se lo comunica a sus padres.** Muchas veces, esta brecha puede ser de 2 a 8 años. Para algunos, puede ser de 10 años o más. Nuestros hijos han estado descubriendo por sí mismos y trabajando hacia su autoaceptación por años. Para muchos padres, sin embargo, es como un titular repentino e inesperado.

BRECHA #3: BRECHA DE EXPECTATIVA

La brecha de expectativa expresa la distancia emocional entre **el alivio (o incluso la celebración) que experimentan nuestros familiares LGBT+ y la conmoción (o duelo) que sus padres a menudo experimentan.** El familiar LGBT+ está deshaciéndose de lo que puede haber sido una represión de años, para abrazar alegremente su autoaceptación y potencialmente perseguir un interés romántico. Algunos padres, en ese mismo tiempo, pueden llegar a sentirse furiosos. Otros padres, incluso mientras intentan demostrar amor y aceptación, por dentro pueden sentir una pérdida extrema, tristeza, y conmoción.

BRECHA #4: DE CREENCIA

La brecha de creencia describe la diferencia entre **las creencias religiosas de un familiar LGBT+ sobre el matrimonio y la sexualidad y las creencias de sus padres.** Los padres cristianos pueden haber escuchado a sus hijos expresar una creencia bíblica relacionada con la sexualidad hace solo unas semanas, pero de repente esas creencias tambalean o son abandonadas por completo. Esto puede agregar frustración a la relación, tanto para las personas LGBT+ como para sus familias.

BRECHA #5: DEL LENGUAJE

La brecha del lenguaje constituye la distancia relacional entre cómo un hijo LGBT+ y sus padres **comprenden y definen el vocabulario relacionado con la identidad sexual y de género.** Los padres pueden cuestionar si la sexualidad y el género son siquiera aspectos legítimos de la identidad, mientras que sus hijos operan en un mundo en rápida expansión, en las categorías y espectros de la identidad sexual y de género. Como se indica en la sección "Las palabras importan", los errores de lenguaje pueden seriamente dañar la confianza relacional. *Cada palabra cuenta.*

¡IMAGÍNATE TODAS ESTAS 5 BRECHAS ESTRELLÁNDOSE EN UNA RELACIÓN PADRES-HIJOS EN UN MISMO INSTANTE DEL TIEMPO!

También considera que las madres y los padres no siempre reaccionan igualmente. Tales diferencias pueden obligar a un hijo LGBT+ a navegar diferentes reacciones de cada padre. Tanto los padres como los adolescentes cometen errores. **El perdón mutuo es una necesidad.**

PADRES QUE AMAN BIEN

A PESAR DE ERRORES PASADOS, MUCHOS PADRES AVANZAN Y DAN EL SIGUIENTE PASO POSITIVO EN AMAR A SUS HIJOS LGBT+ .*

Hemos comenzado a orar por todo: por nuestras interacciones, nuestras palabras, y por que la gracia de Cristo Jesús salga de nosotros con un amor genuino por nuestra hija. Hemos comenzado a ver todas sus facetas como persona, sin quedarnos trancados en este único aspecto. **Hacemos un esfuerzo intencionado por disfrutarla, por aceptarla en donde está, confiando en que Dios está trabajando en su vida.** También hemos rendido nuestros propios corazones y voluntades a Dios para que nos transforme, buscando depender de Él y conocerle mas íntimamente día a día.

Cuando conocimos a su pareja, la abrazamos y la tratamos como a una amiga de la familia. **Nuestra hija estaba en una liga de Voleibol LGBT+, y fuimos a verla jugar en las finales.** Me da tristeza decir que éramos los únicos espectadores en un espacio donde había seis juegos diferentes al mismo tiempo. Hicimos porras, gritamos, nos aprendimos los nombres de sus compañeras de equipo, e intentamos animarlas en la cancha, tal como lo hacíamos en su infancia. Sus compañeras de equipo se acercaron a nosotros después del juego y nos agradecieron por estar allí.

Tengo siempre la puerta abierta. Permitiéndome amar con libertad, le digo regularmente que lo amo. **He dejado de tener miedo de que malinterprete mi amor como un cambio en mis creencias.** También he aprendido a apreciar y a disfrutar a su pareja y sus amigos en lugar de tener miedo.

Lo acepto tal como es y le digo lo mucho que lo amo. Nos aseguramos de incluirlo en todas las actividades y discusiones familiares. Cuando finalmente nos dijo que era gay, **tomé un avión de inmediato para verlo y decirle que siempre es bienvenido en nuestro hogar**

Nos hemos dado cuenta que necesitamos mirar tanto a nuestro hijo como a su pareja como creaciones amadas de Dios, creaciones con quienes Él quiere desesperadamente tener una relación. Este es el punto central de mi postura. Esta realización no ocurrió de la noche a la mañana, y aún no estoy completamente convencida de ello. Pero el pecado afecta a cada ser humano en el planeta. Nadie está exento. Esta verdad me ha ayudado a encontrar terreno en común. Si el amor y la gracia de Dios que yo he experimentado es recibida por cualquiera de ellos o por ambos, entonces habrá valido el esfuerzo 100%.

Nuestros mayores logros: **Hemos dado espacio para que el Espíritu Santo trabaje y le hable a nuestra hija.** Hemos amado a su pareja y la hemos recibido sin juzgar. Oramos con una fe confiada en el amor y la fidelidad de Dios hacia nuestra hija, hemos comenzado a dejar que El Señor haga su obra purificadora, y sanadora en nuestros corazones.

Yo sigo amándolos y frecuentemente haciéndoles saber qué tan preciosos son ellos para mí. **Los abrazo a menudo y les demuestro afecto físico** y conozco a sus amigos.

Nunca permití que la puerta de nuestra comunicación se cerrara. Sin importar las circunstancias, he hecho de ello una prioridad en mi vida desde que mis hijos eran pequeños.

He llegado a aceptar mi rol como su padre. Yo no soy el indicado para que ella comparta todos sus problemas sexuales. Ella tiene otra gente en su vida a quien confiarle esta información. Esto me ayudó a aceptar mi rol. Yo debo respetarla y confiar en sus propias decisiones. Mi papel es ayudarla a saber que es amada pase lo que pase.

Mi más grande éxito es que mi hijo aún ama venir a casa y estar con nosotros. Sé que él ama pasar tiempo con todos nosotros.

Nuestro éxito consistió en ayudar a nuestro hijo a sentir que nosotros estábamos "de su lado" lo suficiente como para que, juntos, pudiéramos dar pasos lentos y sin prisa hacia las grandes decisiones que cambian la vida.

*Lead Them Home Survey of Parent Engagement of LGBT+ Children (Octubre 2017)

"POR ESO, CONFIESEN SUS ERRORES UNOS A OTROS, Y OREN UNOS POR OTROS, PARA QUE DIOS LOS SANE. LA ORACIÓN DE UNA PERSONA BUENA ES MUY PODEROSA, PORQUE DIOS LA ESCUCHA."
- SANTIAGO 5:16

CÓMO RESTABLECER LA RELACIÓN

Confiesa *específicamente* cada error que sabes que has cometido.

Pregúntale a tu hijo si ha sido lastimado de maneras que no reconoces.

Discúlpate y busca ser perdonado por cualquier forma en que hayas herido a tu hijo

Pide empezar de nuevo y restablece tu actitud, tono y lenguaje.

Invita al diálogo sin dejar que las diferencias tomen control de cada conversación.

Declara que aceptas a tu hijo y que lo amas.

Admite que todo esto es nuevo para ti, pero que estás dispuesto a escuchar y aprender.

Retira *inmediatamente* cualquier "amenaza" de la mesa.

Restitúyele cualquier multa financiera o retención de matrícula universitaria que hayas impuesto.

Díle a tu hijo lo valioso que es para ti.

Si tu hijo adulto tiene pareja, invítalos a ambos a cenar.

Gana la confianza de tu hijo adulto amando génerosamente a su pareja.

Invita a tu hijo adulto (y su compañero) a casa para las fiestas.

Restablecer una relación fracturada es más probable que ocurra con un lenguaje reflexivo. Antes de continuar, revisa la sección "Las palabras importan" (pagina 13) cuidadosamente. Para aprender como escribir una "Carta de Restauración," visita guiandofamilias.com/restaurar.

PREGUNTAS FRECUENTES

¿EL MODO EN QUE CRIÉ A MI HIJO CAUSÓ SU HOMOSEXUALIDAD?

Animamos a las familias a enfocarse más en la relación que en la causalidad. Los científicos creen que las causas de la atracción por el mismo género y la disforia de género conllevan elementos complejos de naturaleza y crianza. Si sabes que has pecado al criar a tu hijo, entonces - sin relación con la sexualidad - confiesa, pide perdón y mejora la forma en la que amas a tu hijo.

¿POR QUÉ LA GENTE DICE QUE NACIERON GAY?

Algunas personas probablemente nacen gay. Muchos otros probablemente nacen con una predisposición hacia el amor y la atracción por el mismo género que se desarrolla en su sexualidad a medida que crecen. Si supieras que nunca tomaste la "decisión" de ser gay, si supieras que simplemente siempre has tenido estos sentimientos, ¿no concluirías tú también que naciste siendo gay? Esto no minimiza los muchos impactos relacionados con la crianza que pueden jugar un rol en la formación de la sexualidad.

¿DIOS HACE A LA GENTE GAY?

¿La condición en la que cualquiera de nosotros nace refleja la intención de Dios? Siendo sensibles a los niños con diferentes discapacidades ¿pretende Dios que un niño nazca con poco desarrollo cerebral o sin extremidades? ¿O con un desbalance químico? ¿O ansiedad? ¿O el virus del zika? Dios ciertamente dio la capacidad para la reproducción humana, pero el pecado y el sufrimiento hacen que cada persona nazca con un quebrantamiento humano. El modo en que nacemos no necesariamente implica la intención de Dios.

¿LA ACEPTACIÓN NO ES EN REALIDAD UNA FORMA DE APROBACIÓN?

La aceptación significa que Dios nos ama aún cuando no merecemos Su gloria. Significa que nosotros, como padres, amemos a nuestros hijos incondicionalmente. Significa que nuestros hijos siempre tienen una familia y una casa. Aceptación se convierte en aprobación cuando mis creencias y acciones se apartan de la Palabra de Dios. Yo puedo honrar completamente a Dios con mis creencias y mis acciones - y al mismo tiempo amar a mis hijos aún cuando estén apartados de la Palabra de Dios.

¿UNA PERSONA GAY PUEDE CAMBIAR?

La mayoría de la gente, gay o heterosexual, no experimenta un cambio material en su orientación a lo largo de su vida. Cuando sí se da un cambio, principalmente se da en uno de estos tres escenarios: (1) Un joven en pleno desarrollo lleno de cuestionamientos; (2) Una mujer que halla seguridad en una relación íntima con otra mujer por un tiempo; y (3) un hombre o mujer que se recupera de un abuso o de una experimentación sexual.

¿LA TERAPIA REPARATIVA FUNCIONA?

Nuestro ministerio nunca se ha involucrado en la terapia reparativa (TR). Los adultos que toman una decisión informada y voluntaria de buscar una TR no deberían ser ridiculizados. Los padres, de todas maneras, nunca deberían forzar a un menor o un joven adulto a entrar en este tipo de tratamientos. En muchos estados la TR es ilegal. Los adultos reportan niveles de éxito variables. Algunos han reportado que funciona por un tiempo, pero que el "cambio" fue insostenible con el tiempo. Para decir que un tratamiento funciona efectivamente, (a) debería ser de ayuda a una gran cantidad de individuos y (b) la sanidad debería ser sostenible a largo plazo (permanente). En verdad, un numero de ex defensores que alguna vez afirmaron "haber sido curados" (cambio de orientación) están hoy viviendo en una relación del mismo género. Si bien no criticamos ni queremos limitar los derechos de los adultos que voluntariamente encuentran valor en este tipo de terapias, nosotros no la recomendamos. Lead Them Home tiene reportes directos de terapias reparativas que han seriamente dañado la salud mental y emocional de adolescentes y adultos, al igual que a los miembros de la familia. Para cada persona, independientemente de su orientación sexual o su identidad de género, el objetivo bíblico es la santidad en lugar de la eliminación de la tentación.

¿TE PREOCUPA DE QUE LA IDEOLOGÍA QUEER ESTÉ IMPACTANDO A TUS HIJOS?

Muchas fuerzas dañinas impactan a nuestros hijos a diario: problemas como el divorcio, abuso de sustancias y pornografía. Mientras que una nueva generación sostiene que el género y la sexualidad son fluidos durante toda la vida, las investigaciones demuestran que el 99,4% de los adultos son masculino y femenino binarios1, y aproximadamente el 95% son heterosexuales[2]. La causa de esta generación es corregir el maltrato a la gente marginalizada. Es poco probable que la ideología queer sacuda a las ciencias duras. ¿Por qué pelear una batalla que probablemente se corregirá sola para la mayoría de la gente? En lugar de esto deberíamos entregar nuestras vidas por esta generación emergente en el nombre de Cristo.

[1] Flores AR, Herman JL, Gates GJ, & Brown TNT (2016). How Many Adults Identify as Transgender in the United States? Los Angeles, CA: The Williams Institute.

[2] Gates GJ. (2016). In U.S., More Adults Identifying as LGBT [Data set]. Gallup U.S. Inc. [Distributor]. Retrieved from: news.gallup.com/poll/201731/lgbt-identification-rises.aspx

¿ES UN PECADO EXPERIMENTAR ATRACCIÓN POR EL MISMO GÉNERO?

Jesús fue "tentado en todo" (Hebreos 4:15). Nosotros sabemos que Él nunca pecó, y así podemos concluir que la tentación no es un pecado. Un estudiante universitario cristiano escuchó de parte de otro de sus compañeros: "A menos que tu atracción por el mismo sexo se vaya completamente, no puedes ir al Cielo." Declaraciones irreflexivas como esta no son verdaderas y pueden tener consecuencias trágicas. Es un hecho indiscutible que experimentar tentación es humano. Como una advertencia, sin embargo, cada ser humano sabe que hay una delgada línea entre sentir la tentación y caer en pecado (véase Santiago 1:15)

¿POR QUÉ LAS PERSONAS LGBT+ SE IDENTIFICAN POR SU SEXUALIDAD O GÉNERO?

Si bien estar en Cristo debe ser nuestra identificación principal, muchos otros roles en la vida, como ser padre, esposa, abuelo o hermano, desempeña un papel central en la formación de nuestra identidad personal ("Quien soy yo"). Mientras podemos tener creencias bíblicas que prohíben las relaciones románticas o sexuales del mismo género (incluyendo el matrimonio gay), el deseo final que las personas LGBT+ tienen por amor o un compañero de vida es un anhelo humano. Por esta razón, para ellos "a quien amo" es un elemento vital de identidad personal - tan profundo como lo sería para cualquier persona heterosexual. Reconocer que esta experiencia es igual de verdadera para las personas LGBT+ no devana o amenaza nuestras convicciones teológicas.

¿DEBERÍA MI HIJA LESBIANA DE 15 AÑOS SER INCLUIDA EN EL GRUPO DE JÓVENES?

¡Absolutamente! Qué trágico sería si excluyéramos a cualquier joven cuando deberíamos estar nutriendo su identidad de fe. Todas las personas necesitan salvación a través de Cristo. Como Pablo indica en Romanos 2:1-4, el camino hacia la salvación se conforma de cinco elementos. Los primeros tres están expresados explícitamente: paciencia, tolerancia, y amabilidad. Los otros dos están implícitos en la palabra "hacia" - espacio para pertenecer y tiempo para crecer. Los actos de exclusión aplastan el crecimiento espiritual. Nosotros deberíamos incluir a los jóvenes LGBT+, reducir su vulnerabilidad al bullying, invocar sus dones, fomentar los propósitos de Dios para sus vidas, y apoyar a sus familias para lograr aceptación.

LA GENTE DICE "NO JUZGUES", PERO DESOBEDEZCO A DIOS SI IGNORO LA INSTRUCCIÓN BÍBLICA DE JUZGAR EL PECADO.

"Hermanos, no hablen mal unos de otros. Si alguien habla [justamente en su propia opinión] mal de su hermano [hipócritamente], o lo juzga, habla mal de la ley y la juzga. Y, si juzgas la ley, ya no eres cumplidor de la ley, sino su juez. No hay más que un solo legislador y juez, aquel que puede salvar y destruir [el único Dios que tiene el poder absoluto de la vida y la muerte]. Tú, en cambio, ¿quién eres para juzgar [hipócritamente o justamente en tu propia opinión] a tu prójimo? (Santiago 4:11-12)

NO DEJARÍA JAMÁS QUE MIS HIJOS TRAJERAN SU ALCOHOLISMO O UN VENDEDOR DE DROGAS A MI CASA. ¿POR QUÉ SI SU SEXUALIDAD O SU PAREJA?

El alcohol y las drogas son sustancias que afectan la mente, son adictivas y pueden matar. Cuando un familiar intenta manipular a la familia por dinero para abusar de sustancias, los padres pueden limitar las visitas a casa. La base para este tipo de límite es cuidarlos de la manipulación o la amenaza del daño físico. ¿Quién en la familia no lucha con el pecado? Construir una relación, establecer una mejor comunicación y nutrir la identidad de fe de nuestros hijos supera cualquier razón que nos lleve a rechazarlos.

¿SE SUPONE QUE DEBO SIMPLEMENTE DEJAR A MI HIJO VIVIR EN PECADO?

En la pagina 17, discutimos cómo los padres deben hacer la transición de autoridad a influencia a medida que nuestros hijos se convierten en adultos. El objetivo bíblico no es que los padres dictaminen cómo sus hijos adultos deben vivir sus vidas - el objetivo final de cada uno de nosotros es entender que seremos responsables ante Dios por la forma en la que vivimos nuestras vidas. Aceptar esto no es un compromiso bíblico. Más bien, es una realidad espiritual que nosotros, como padres, no podremos controlar a nuestros hijos adultos. Hay un punto en el que ya no somos más responsables por las decisiones que ellos toman.

"NO SE CONVIERTAN EN JUECES DE LOS DEMAS, Y ASÍ DIOS NO LOS JUZGARÁ A USTEDES. SI SON MUY DUROS PARA JUZGAR A OTRAS PERSONAS, DIOS SERÁ IGUALMENE DURO CON USTEDES. ÉL LOS TRATARÁ COMO USTEDES TRATEN A LOS DEMÁS." - MATEO 7:1-2

GUIANDO FAMILIAS

APOYO DIRECTO

"En 2010, me enfrenté a uno de los años más confusos y dolorosos de mi vida. Tenía 19 años y había estado luchando con mi sexualidad desde que tenía 13 años. Me encontraba fuera de mi hogar por primera vez en la universidad, y mi relación con mi familia había desaparecido porque había salido del clóset como lesbiana.

La depresión con la que había estado luchando por años me golpeó mucho más duro cuando comencé a sentir que todo lo que conocía estaba siendo arrancado de debajo de mis pies. La estabilidad se encontraba lejos, y yo seguía manteniendo a Dios fuera porque estaba cansada del rechazo. No podía imaginarlo ofreciéndome ningún tipo de aceptación.

Ese año, intercambié múltiples correos con "Lead Them Home". Las llamadas de apoyo del ministerio me brindaron ciertos elementos de estabilidad y me direccionaron de vuelta a la Cruz. El fundador, Bill Henson, verdaderamente se preocupó por mí y entendió cómo estaba yo sufriendo. Pero, aún así, tenía un largo camino por delante, para llegar a una relación cercana con Jesús.

Después de muchos años de tire y afloje, luchando con la voluntad de Dios para mi vida, finalmente me rendí completamente a Jesús, dependiendo de Su gracia para reconstruir mi vida y mi identidad de fe. Dios me ha bendecido en formas que no puedo describir. Él continúa construyéndome una vida que yo no hubiera podido imaginarme antes."

- Noelle

SI TÚ O TU FAMILIA NECESITAN AYUDA ADICIONAL, TE INVITAMOS A QUE NOS CONTACTES A CARE@GUIDINGFAMILIES.COM.*

*Si tu situación es una emergencia, llama por favor al número de emergencias de tu localidad.

¿CÓMO DISCUTIR CREENCIAS BÍBLICAS?

Tu hijo no es un pecador debido a su orientación sexual o identidad de género, sino por la misma razón que **TODOS** somos pecadores: ***¡todos pecamos!*** Sin querer, muchos cristianos han juzgado tanto a los jóvenes LGBT+, que esto ha lastimado o áun más *deconstruido su identidad de fe.*

Evita poner a Dios *en contra* de la identidad de tus hijos. Recuerda que muchos continuamente anticiparán condenación debido a **traumas.** Lleva a tu hijo al Salmo 23, al Salmo 91, al Salmo 103 o a una parábola de Jesús; **fomenta una identidad de fe integral** para construir confianza en Dios. *Con humildad*, puedes hacerle a tu hijo preguntas bien pensadas.

Debemos enfatizar que las siguientes preguntas de discusión están exclusivamente dirigidas a personas emocional y mentalmente saludables. **Si tu familiar tiene una historia reciente de victimización, suicidio o angustia emocional, debes poner en espera cualquier pregunta acerca de creencias bíblicas.** Su seguridad es una máxima prioridad.

DESALENTAMOS ***ENFOCARSE EN TEOLOGÍA*** CUANDO LOS JÓVENES ESTÁN SUFRIENDO. ***LA SEGURIDAD Y LA CONEXIÓN FAMILIAR*** DEBEN SER LA PRIORIDAD PRINCIPAL.

PREGUNTAS HONORABLES QUE PUEDES HACER SOBRE LAS CREENCIAS

¿Qué significa tu **identidad sexual o de género** para ti?

¿Cómo describirías tu **identidad en la fe?** ¿Qué significa tu fe para ti?

¿Cómo se **interceptan** tu identidad sexual o de género y tu identidad en la fe?

¿Alguna vez has experimentado **conflicto** entre tu identidad sexual o de género y tus creencias bíblicas?

¿Algún conflicto espiritual acerca de tu identidad sexual o de géneroaún te molesta?

Si lo hace, ¿cómo te ayuda Dios, y **quién te ofrece apoyo?**

Puedes contar conmigo como parte de tu red de apoyo si alguna vez necesitas hablar cuando las cosas sean difíciles.

¿Estas abierto a hablar con un pastor acerca de **lo que crees?**

¿Estas abierto a que tus padres compartan contigo **lo que creemos?**

¿Planeas permanecer conectado a la **iglesia?**

SIN IMPORTAR LA RESPUESTA DE TU HIJO, DEMUESTRA QUE EL DIALOGO PUEDE SER SEGURO. NO AVERGÜENZES A TU HIJO SI YA NO COMPARTE TUS CREENCIAS.

SI ESTÁS PROCURANDO RESOLVER TU PROPIA TEOLOGÍA, TE RECOMENDAMOS LEER ***"PEOPLE TO BE LOVED"*** DE PRESTON SPRINKLE.

UNA VISIÓN SALUDABLE

Los cristianos tienden a asumir la responsabilidad sobre las vidas de los demás, lo que nos lleva a caer en la trampa de considerarlo nuestro deber urgente el confrontar o responsabilizar a aquellos que no están a la altura de la gloria de Dios.

El problema es que aplicamos nuestra urgencia de manera muy selectiva. Los cristianos no parecemos estar muy urgidos por tratar con la extendida pandemia de la pornografía, por ejemplo. Jesús advirtió a los fariseos y maestros de la ley que tenían **puntos ciegos.** Él incluso los hizo enojar, refiriéndose a ellos como **guías ciegos.** Ellos podían ver fácilmente los pecados de otros, pero apenas vislumbraban los propios.

No somos diferente hoy. Como "**pecadores mayoritarios",** somos receptores automáticos de la "Gracia Sublime". Sin embargo, a menudo podemos excluir de la gracia a los **"pecadores minoritarios",** O peor aún, la "gracia" que decimos con palabras a menudo carece de *un cuidado real* por las personas.

Como ejemplo, seguramente no es responsabilidad de *todos* los evangélicos decirle a las personas LGBT+ que Dios "ama al pecador, pero odia el pecado". ¡Sin embargo, pregúntenle a muchas personas LGBT+ qué es lo que escuchan de los cristianos! Lo que dicen es que este cliché es practicamente lo único que los cristianos conservadores les dicen.

Parece que muchos cristianos tienen el temor poco saludable de que estemos *tolerando y permitiendo* el sexo gay, si fallamos en nuestro *deber ante Dios* de que las personas LGBT+ sepan que están viviendo en un *estilo de vida pecaminoso.*

Como se señaló en el Prefacio, bajo la sección "Bienvenidos lectores LGBT+", no es nuestra agenda discutir la teología en *Guiando Familias.* Sin embargo, los padres, pastores y adolescentes discuten sobre el sexo y la Biblia todo el tiempo. Por esta razón, vale la pena definir claramente una visión saludable de la *verdad bíblica.*

"Y ESTO ES LO QUE LES MANDO: QUE SE AMEN UNOS A OTROS, ASÍ COMO YO LOS AMO A USTEDES. NADIE MUESTRA MÁS AMOR QUE QUIEN DA LA VIDA POR SUS AMIGOS. USTEDES SON MIS AMIGOS, SI HACEN LO QUE LES MANDO." JUAN 15:12-14

7 ELEMENTOS CRÍTICOS DE LA VERDAD BÍBLICA

*Jesús constantemente confronta nuestra tendencia a tener un **"punto ciego" religioso** — que podemos definir como elementos críticos de la verdad bíblica que nos estamos perdiendo. **¿Qué me estoy perdiendo?***

1. CREENCIAS QUE HONRAN A DIOS
2. COMPORTAMIENTOS EN OBEDIENCIA A LA PALABRA DE DIOS
3. TRATO A OTROS SIMILAR AL DE CRISTO (SIN IMPORTAR SI SON CRISTIANOS O NO)
4. INTERÉS COMPASIVO POR LAS PERSONAS LASTIMADAS, VULNERABLES, O MARGINALIZADAS
5. CORAZÓN ALEGRE, DISPUESTO Y COMPROMETIDO A DAR MI VIDA POR LOS DEMÁS
6. USO INTEGRAL DE LA PALABRA DE DIOS PARA PLANTARLA EN LOS CORAZONES HUMANOS
7. VIDA DE ORACIÓN ACTIVA, CREYENDO EN LAS PROMESAS DE DIOS PARA MI FAMILIA.

DE LA VERDAD BÍBLICA

Para honrar bíblicamente a Dios, nunca podemos confiar únicamente en lo que creemos (ver Santiago 2:17). **Muchos cristianos tienen *creencias correctas,* incluso cuando nuestros propios comportamientos incorrectos traicionan materialmente esas creencias.** Otros tenemos *creencias correctas,* e incluso apuntamos a *comportamientos correctos* — pero no siempre *tratamos a los demás* tan bien.

No podemos lograr la "verdad bíblica" solo sabiendo por qué otros necesitan arrepentirse. No podemos lograrlo creyendo en una versión del matrimonio del Génesis, mientras en privado vemos pornografía. No podemos lograrlo mediante la santidad personal si juzgamos a los demás con facilidad. No podemos honrar a Dios con toda la verdad del mundo *si el suelo a los pies de la cruz está desnivelado.*

Honrar a Dios es más que decirle a otros que están viviendo en pecado. En última instancia, debemos hacer algo acerca de nuestros propios pecados, mientras tratamos a los demás con génerosidad. Si quieres hacer algo con respecto al pecado en nuestro mundo, la mejor manera es que los "pecadores mayoritarios" realmente nos arrepintamos de nuestros pecados. Entonces, al menos, ofreceremos un camino para que los "pecadores minoritarios" puedan seguir.

Un último punto: **al cultivar una visión saludable de la verdad bíblica, necesariamente infundimos "paciencia, tolerancia y bondad" en nuestro testimonio de Jesucristo.**

Nos convertimos en mejores misioneros. Nos convertimos en mejores pastores. Nos convertimos en mejores predicadores en el púlpito. Nos convertimos en mejores padres, mejores miembros de familia y mejores amigos para las personas LGBT+.

De repente, vivir el evangelio es mucho más que convencer a alguien de que está viviendo en pecado. **La verdad bíblica saludable significa que consideramos seriamente lo que es necesario para infundir una identidad de fe en otros.**

Infundir esta identidad de fe en otros comienza cuando llevamos a Jesús, que vive en nosotros, a las personas, allí donde estén, tal cual son. Conocemos su historia. Construimos una confianza relacional. Servimos y cuidamos sus necesidades. Les protegemos contra cualquier vulnerabilidad que les haga sentir heridos o condenados. En el camino, podemos compartir pasajes de las Escrituras que hablen a la realidad de sus necesidades, luchas y alegrías que experimentan.

Este no es el final de nuestro testimonio de verdad bíblica. Pero es lo que se necesita para establecer una base integral y fructífera para el testimonio del evangelio - un testimonio que honra a Dios con humildad y demuestra el amor radical de Jesús.

"EL DISCÍPULO QUE SE MANTIENE UNIDO A MÍ, Y CON QUIEN YO ME MANTENGO UNIDO, ES COMO UNA RAMA QUE DA MUCHO FRUTO; PERO SI UNO DE USTEDES SE SEPARA DE MÍ, NO PODRÁ HACER NADA."

- JOHN 15:5

UNA VERDAD BÍBLICA SALUDABLE SIGNIFICA PERMANECER EN CRISTO:

+ MI POSICIÓN
+ MIS PRÁCTICAS PERSONALES
+ MI TRATO A LOS DEMÁS
+ LLEVAR LA PRESENCIA DE CRISTO A LA GENTE

LA PAREJA DE MI HIJO ADULTO

SI TU FAMILIAR LGBT+ TIENE UN COMPAÑERO, ¡DIOS TE HA DADO EL PRIVILEGIO DE COMPARTIR EL EVANGELIO CON OTRA PERSONA!

*Si intentas **separar** a la pareja de tu hijo de tu familia, **dañarás la confianza** con tu propio hijo.*

---

*Si **honras** a la pareja de tu hijo y le das la **bienvenida génerosamente** a tu familia, entonces tienes la oportunidad de **ganar confianza relacional** con tu hijo y con su pareja.*

VACACIONES: Invita a tu hijo y a su pareja a casa para las reuniones familiares de vacaciones.

ARREGLOS DE HOSPEDAJE: Asegúrate de que sea cual sea tu política, aplica de manera uniforme para todos tus seres queridos. Si las parejas casadas de tu familia duermen en la misma habitación, entonces las parejas gay casadas deben ser bienvenidas en tu hogar del mismo modo.

VIDA DIARIA: Invita a tu hijo y a su pareja a cenar y acepta las invitaciones que ellos te hagan.

RETRATOS FAMILIARES: Gay o heterosexual, pocas familias incluyen un compañero de citas en retratos familiares formales. Una vez que una pareja está casada, sin embargo, es apropiado incluir a cada miembro de la familia en los retratos formales.

BODAS

Los cristianos a veces temen aprobar o permitir los matrimonios gay. Las parejas gay se casan porque están enamoradas. Nosotros no causamos el matrimonio - y **no podemos evitar que las parejas gay se casen.**

Si bien bíblicamente no puedes *oficiar* una ceremonia de boda del mismo género, sí puedes **asistir**. También puedes **orar** en una boda si te piden que lo hagas.

Si decides no asistir a la boda de tu hijo, nadie debe juzgar tu sincero esfuerzo por honrar a Dios. Sin embargo, debes tener en **cuenta el costo.** Esta decisión de no asistir al día más especial de la vida de tu hijo puede **producir un daño relacional profundo y duradero. La verdad es que con frecuencia lo hace.**

Estar "en lo correcto" por un día puede dañar la oportunidad de ser un testigo por miles de días en el futuro. Piensa a largo plazo. Piensa en la siguiente generación. **¿Cómo puedes establecer mejor la confianza para tener conexión con tus futuros nietos?** Los actos de rechazo de hoy pueden dañar la confianza hasta el punto de que no se te permita tener una relación significativa con tus nietos.

Te animamos a asistir a la boda de tu hijo. Buscamos la **confianza relacional a largo plazo donde un testimonio de Cristo puede vivirse y compartirse durante muchos años.**

Cada situación es única. Nos contactan padres, hermanos y una amplia gama de familiares de seres queridos LGBT+ que se casan con su pareja. En algunos casos, no asistir a la boda es posible sin dañar la relación. En otros casos, no asistir puede acabar por completo incluso una relación familiar cercana. No podemos abarcar cada escenario aquí en esta guía.

Para orientación adicional, por favor contáctanos.

UN CONSEJO BIEN INTENCIONADO PUEDE TENER CONSECUENCIAS GRAVES A LARGO PLAZO

Audrey, una abuela de Oregón, fue aconsejada por los evangélicos a no asistir a la boda de su hijo con su pareja, hace 10 años. Trágicamente, su hijo jamás ha podido confiar en ella para ser parte de la vida de su familia. Ella tiene nietos a los que nunca se le ha dado el privilegio de conocer. Ella está profundamente afligida. Hoy, esos mismos creyentes asisten a las ceremonias de matrimonio gay de sus propios seres queridos, nunca se han disculpado con Audrey y no han logrado dimensionar la consecuencia de su consejo.

LA ORACIÓN DE UN PASTOR EVANGÉLICO EN LA BODA DE SU HIJO

"Señor, ***nos reunimos*** *hoy en nuestro profundo amor por David y Caleb.* ***Damos la bienvenida*** *a Caleb y su familia a la nuestra.* ***Te agradecemos por la familia de Caleb*** *y su amor por nosotros. Te agradecemos por dar a nuestras dos familias* ***dos hijos increíbles,*** *inteligentes, talentosos y sacrificiales en su servicio a los demás. Te agradecemos por todos nuestros* ***fieles amigos*** *que nos acompañan hoy. Te agradecemos sobre todo por dar a* ***Tu hijo Jesús*** *como un sacrificio por nuestros pecados.* ***Que cada uno de nosotros lo conozca más y más*** *a medida que pasan los días de nuestras vidas. Que cada uno de nosotros* ***descubra los increíbles planes y propósitos que has designado*** *para nuestras vidas.* ***Bendice*** *a David y Caleb.* ***Cúbrelos*** *con amor. Haz* ***crecer*** *su fe.* ***Llena*** *sus corazones.* ***Desarrolla*** *tus propósitos en sus vidas. Oramos en el nombre de Cristo Jesús. Amén."*

PUNTOS PRÁCITICOS
PARA GUIAR A JÓVENES TRANSGÉNERO

Has de la presencia y tiempo juntos una prioridad. • Demuestra niveles altos de aceptación, amor incondicional, y cariño. • Adjudica un tiempo razonable para hablar acerca de la vida. • Pon limites y flexibilidades apropiados para su edad, en cuanto a su expresion de género. • **AYUDA CONSTRUIR UNA RED ADECUADA DE APOYO DE VARIAS FUENTES, INCLUYENDO TIEMPO CONSTANTE CON UN CONSEJERO.** • Lleva tus ruegos más desesperados al Señor en vez de exigir imposibles a un adolecente ya ansioso. • Evita frases o palabras que puedan detonar desacuerdos o mostrar un sesgo o juicio subyacente. • Evita usar el punto de vista de "ellos y nosotros" cuando te refieras a las personas LGBT. • Bendice a tu hijo con detalles especiales (ejemplo: te fue muy bien en la escuela esta semana. ¿Vamos por tu bebida favorita en Starbucks?) •A medida que tu hijo crece, permítele una mayor autonomia en cuanto a "quién deba saberlo". • **ÁMALO A PESAR DE TODO. DECIDE CAMINAR CON ÉL A PESAR DE TODO.** •No intentes evitar que tu hijo salga del clóset o no te sientas avergonzado cuando lo haga. • Si sientes vergüenza o temor, llama a alguien en tu red de apoyo para procesar estos sentimientos. • **CUANDO LOS DESACUERDOS PERSISTAN, ORA.**

Cualquiera sea el origen, ya sea permanente o temporal, ya sea disforia clínica o una incomodidad general con el género - este proceso debe darse de manera orgánica, con la mayor aceptación y amor posibles.

Para la mayoria de los jóvenes que sobrepasan la disforia de género con la edad (o al menos la ven disminuir)[1], este proceso puede darse de mejor forma cuando familia, hogar, iglesia y escuela son lugares seguros para ellos. Este proceso puede alargarse por acciones, actitudes y palabras que rechacen a la gente joven y nieguen o minimicen su experiencia. Para el 0.6% de la población, la disforia de género es algo que experimentarán toda su vida.[2] Debemos evitar cualquier tentación de usar estadistícas que se relacionan a la mayoria como una expectativa poco realista para este 0.6%.

Durante la adolecencia, como padres no podemos saber qué historia se está desarrollando en la vida de nuestro hijo. Podemos ofrecer amor incondicional, ganar la confianza en la relación, ayudar a construir un apoyo adecuado, depender de Dios en oración y rendirle a Jesús todo aquello que no podemos controlar ni arreglar. Padres, puede que llegue un punto en que sea necessario establecer un contrato con su hijo, en el que se especifiquen los rangos de edad en los que podrán tomar más decisiones propias. (Contáctanos para obtener ayuda adicional).

[1]Yarhouse MA. (2015). *Understanding Gender Dyshporia: Navigating Transgender Issues in a Changing Culture.* InterVarsity Press.
[2]Flores AR, Herman JL, Gates GJ, & Brown TNT (2016). How Many Adults Identify as Transgender in the United States? Los Angeles, CA: The Williams Institute.

MI HIJO ES TRANSGÉNERO

Un padre dice: **"Tu hijo es gay. El mio es transgénero. *No es más complejo, solo es diferente.*** Compartimos el mismo llamado a amar a nuestros hijos incondicionalmente."

Una madre dice lo opuesto:: ***"Si tan solo mi hijo fuera gay sería mucho más fácil de entender.*** Pero cree que es una mujer. ¿Cómo puede ser? *¿Cómo será el futuro para mi hijo?"*

Pase lo que pase, no dejes de nutrir el sentido profundo de que Dios será refugio y abrigo para tu familia.

Caminar junto a tu hijo requerirá de gracia. Los errores son inevitables. Que tu hijo sepa que no eres perfecto, pero que lo intentas.

Ayúdale a sentirse seguro para hablar, si por error dices algo que le moleste u ofenda.

DEBIDO A LA GRAN DIVERSIDAD DE LO QUE EXPERIMENTA UNA PERSONA TRANS, RECOMENDAMOS EL LIBRO* "UNDERSTANDING GENDER DYSPHORIA" *DEL DR. MARK YARHOUSE.

PENSAMIENTOS PARA EL CAMINO POR DELANTE

TU FAMILIA NO ESTÁ SOLA

Estudios recientes revelan que la población de personas transgénero en los Estados Unidos es el doble de lo que se pensaba. **Aproximadamente el 0.6% de la población general es transgénero - lo cual suma aproximadamente 1.4 millones de personas.** Los niveles más bajos son 0.3% en Dakota del Norte, 0.31% in Iowa y 0.32% en Wyoming. Los niveles más altos son 0.78% en Hawaii, 0.76% en California, y 0.75% en Georgia. Los niveles de Texas y Nueva York son 0.66% y 0.51% respectivamente.[1]

Padres, necesitarán apoyo confiable después de la revelación. Es triste, pero hay personas que no lo quieren entender. **Necesitarán personas que caminen con ustedes y con su hijo pase lo que pase.**

IR MÁS ALLÁ DE LA CAUSA Y LA ACUSACIÓN

Las personas transgénero no fingen o falsean el dolor que sienten por dentro. Algunas personas nacen **intersexuales** (con ambos tipos de genitales o genitales ambiguos), y del mismo modo **algunos nacen con un género psicológico interno que no se ajusta a su anatomia externa.** Para otros, **una herida consciente o inconsciente hace que ya no sea seguro ser del sexo que nacieron.**

Los factores casuales son desconocidos y probablemente bastante diversos. Puesto que hasta los cientificos más capaces desconocen la causa, las familias, los pastores y aquellos a quienes les importa, deben de **enfocarse en la compasión.**

PARA APOYO MÁS PERSONALIZADO, POR FAVOR CONTACTARSE CON NOSOTROS.

[1]Flores AR, Herman JL, Gates GJ, & Brown TNT (2016). *How Many Adults Identify as Transgender in the United States?* Los Angeles, CA: The Williams Institute.

TRANS ≠ GAY

Debemos abstenernos de pensar que identidad de género es igual a orientacion sexual. Muchas de las personas transgénero son heterosexuales. **La mayoría no están en busca de una experiencia sexual,** sino que están buscando un alivio de su ansiedad, angustia, y frustracion, causados por su disforia. Bajo tanto estrés, **están buscando paz interna (un estado del ser).**

COMPARACIONES INUTILES DAÑAN LA CONFIANZA

Ponemos mucho esfruerzo en tratar de disuadir a nuestros familiares transgénero de su experiencia, comparándola con pecado, adicción, o enfermedad mental. Esta es una comparación que se escucha frecuentemente: "Ella es anoréxica y cree que esta en sobrepeso. No voy a seguirle un juego falso que la está matando. Del mismo modo, mi hijo es un varón y yo no voy a fingir que es una mujer." Si bien el dolor de la anorexia de hecho tiene similitudes con el dolor de la disforia, muchas veces usamos esta comparación de una forma acusatoria, despreciativa, condescendiente, y demasiado simplista. **Esta manera de abordar el tema no es productiva, lastima a nuestro ser amado, le hace sentir incomprendido, y daña seriamente la confianza.**

FOMENTAR CONVERSACIONES SEGURAS

No debemos pretender que poseemos un poder que no tenemos. No podemos "arreglar" a las personas. Podemos amarlos. En un mundo que muchas veces maltrata a las personas transgénero, hagamos todo lo posible porque nuestros hogares e iglesias sean lugares seguros. El nivel de seguridad aumenta cuando rodeamos a nuestros familiares transgénero con amor, cuando los incluimos y permitimos que compartan su historia. Qué trágico sería si nuestro ser amado sufriera una ansiedad y dolor profundos, y simplemente le permitiérmos permanecer aislado, solo y con ansiedad.

PROCESO

No permitas que la apariencia exterior niegue la identidad espiritual legítima de la persona transgénero. Si la persona acepta a Jesús como Salvador, entonces comparte la fe cristiana en común con tu ser amado. Elimina todo juicio de tu corazon y puede que te sorprendas de cuán profunda puede ser la fe de tu hijo transgénero. Lee el Salmo 27, 91 o el 103 donde vemos a Dios como salvador, refugio, abrigo, y padre. **Pase lo que pase, construye una identidad de fe, y ponte en la posición de aprender de la fe cristiana de tu ser amado.**

TRANSICIÓN

Muchas personas transgénero jamás transicionan. Otros transicionan en niveles muy variados. **En vez de controlar a un familiar transgénero, más bien procura informar objetivamente en torno a estas decisiones.** Y es posible que, como adulto, la persona puede acabe tomando desiciones que no apoyas. Algunos empiezan a transicionar, pero se detienen cuando les invade el miedo de estar llegando a punto sin retorno. No todas las personas trans necesitan transicionar para aquietar su disforia. Hay opciones no quirúrgicas que ayudan a ciertas personas. Otros sienten que la única salida de su tremendo dolor es transicionar por completo. **Amar. Incluir. Acceptar. Pase lo que pase.**

IDENTIDAD Y PRONOMBRES

En el tema de autoridad parental sobre un menor, puede que un joven transgénero quiera adoptar un nombre que concuerde con su identidad de género. Lead Them Home ha determinado que se remitirá al adulto decidir cómo el menor se identificará, como un asunto de respecto básico. Ya sea que la persona es hombre o mujer, ¡cada persona tiene un alma! **Elegimos alcanzar el alma de la persona en vez de tratar de ganar a la persona con nuestra idea de quiénes deben ser.** La salvacion eterna es mucho más importante que nombres y pronombres.

PARA PASTORES & LÍDERES

Es critico que nuestro *cuidado espiritual* de las personas transgénero sigua el modelo de *cuidado familiar* de este manual. **Los padres muchas veces se encuentran solos al momento de buscar apoyo que los ayude a cuidar a sus hijos.** Necesitamos entrar en sus vidas con una postura de apoyo en vez de una postura de exclusion.

EL VIAJE DE MOLLY CON SU HIJO TRANS

MI VIDA CON MARK

MOLLY NOS CUENTA DEL LUTO, CRECIMIENTO Y ESPERANZA POR LA QUE PASÓ SU FAMILIA CON LA TRANSICION DE SU HIJA JANA A SU HIJO MARK.

SABÍA LO QUE ESTABA PASANDO aún antes de que fuera confirmado. Pero no tenía suficiente consciencia en ese momento, o mi esposo y yo teníamos demasiado miedo de enfrentar la realidad de todos los indicadores a lo largo de la vida de mi hija.

Cuando Jana tenía 17 años, tuvo sospechas acerca de su sexualidad. Yo senti la necesidad de saber, principalmente porque estaba preocupada por su seguridad y quería protegerla. Un día estaba determinada a obtener una respuesta y le pregunté, "¿Eres gay?" Creo que Jana se sintió bastante traumada por lo directa que fue mi pregunta. Claramente no estaba lista para hablar.

Jana tenía una ansiedad entendible: eramos una familia evangélica, y habíamos caído en una iglesia muy legalista. Estoy segura de que el tono de "fuego infernal y condenación" del cual escuchábamos todos los domingos era muy asustador para ella.

EXPERIENCIA CON LA IGLESIA

Cuando finalmente confirmé su sexualidad, de repente me vi en necesidad de apoyo por fuera de nuestra familia. Lamentablemente, las personas en nuestro alrededor veían a las personas LGBT+ como un problema que resolver. Antes, yo compartía ese mismo punto de vista. Pero ahora se trataba de mi propia hija. Necesitaba respuestas reales. Pero las respuestas que recibimos fueron trágicas. Nuestro líder de iglesia casera no se sentía preparado y no supo cómo ayudarnos.

LA MUDANZA

Este experiencia nos quebro. En desesperación literalmente nos mudamos. Sacamos a Jana de la escuela publica y terminamos su último año con educación en casa. Justificamos la decision diciendo que ella necesitaba tiempo para respirar. Pero ahora puedo reconocer que nuestro decisión realmente fue nuestro esfuerzo de proteger a Jana de un ambiente de escuela liberal. Como se podrán imaginar Jana no estaba nada feliz con nuestras decisiones. Todo el tiempo veíamos a Jana como nuestra hija preciosa. Fue por amor que sentimos tanta pasión por protegerla de las voces que pudiesen afirmar su sexualidad. Al mismo tiempo, también hicimos esta mudanza desde un lugar de pánico.

TRANSICIÓN

Al año del incidente con nuestro lider de iglesia en casa, regresamos a casa. Jana empezó a salir con Kendra. Pero al poco tiempo Kendra hizo su transición a chico.

¡Fue todo un choque para nosotros! Aún así, lo más choquante fue cuando Jana anuncio que tambien iba a transicionar. Entones Jana y Kendra pronto eran Mark y Ethan.

Tener una hija lesbiana fue un desafio, pero cuando vimos que Jana iba a transicionar quedamos devastados.

NUESTRO ANSIEDAD NO PRETENDÍA SER RECHAZO, PERO TUVO EFECTOS REALES Y NEGATIVOS EN NUESTRA HIJA.

APOYO DE LOS ABUELOS

Por este tiempo, mis padres se dieron cuenta de cuán abrumados estábamos con mi esposo. Nuestra ansiedad no pretendía ser rechazo, pero tuvo efectos reales y negativos en nuestra hija. Entonces durante este tiempo, Jana, nuestra hija - quien ahora era Mark, nuestro hijo - se mudó a vivir con mis padres. Jana (Mark) continuó viviendo con ellos todos estos años, hasta que recientemente Mark con Ethan consiguieron un lugar propio.

Estoy tan agradecida con mis padres por haberle brindado un hogar lleno de amor a Mark. Como padres, con nuestras propias emociones estábamos agotados. Estábamos a punto de reventar. Seguimos en contancto frecuente, pero mirando atrás, había momentos en que ni siquiera podía ver a Mark, mucho menos procesar todos los cambios que estaban ocurriendo. Ella, o él, estaba cambiando a un paso tan agigantado. Intenté controlar, traté de negociar – lo que fuera para frenar su transición. Aún cuando todo esto lo hice por un amor sincero por mi hijo, estoy segura que fue una época muy dolorosa para Mark.

LA FORMA DEL LUTO

Cuando Jana transicionó a Mark, hubo años en los cuales no teníamos relación. Jamás dejamos de amar a nuesto hijo, pero transicionó tan rápido. De una forma u otra, estábamos perdiendo más y más de nuestra hija. En su lugar apareció un extraño con una nueva voz, un nuevo cuerpo, nueva ropa, nuevo pelo, y un nuevo olor. Fue casi como morir en vida: nuestra hija estaba viva aún, pero todo lo que conocíamos de ella - de su apariencia fisica hasta los sueños que tenía para mi hija - comenzó a desaparecer. Pero en cierta forma pensamos que ni la muerte le quita el nombre y género a tu hija/o.

YA NI MIRAMOS A LA APARIENCIA FISICA. NUESTRA ESPERANZA ES EN DIOS Y SU PODER PARA ATRAER MARK E ETHAN A LA CRUZ.

LA CAPACIDAD DEL LUTO

Durante esta época, nostros nos sentíamos vulnerables. Pero la vida de Jana era aún más fragil. Estaba tan mal que en un momento llegó a tener un plan detallado de cómo suicidarse. Como padres, nuestro luto estaba a su capacidad maxima. Nuestro luto nos limitó de tal forma que no teníamos la capacidad de afrontar el luto de Jana. No podríamos proteger a nuestra hija preciosa de quitarse su propia vida. Casi perdemos a Jana. Gracias a Dios, Él le preservó la vida - y nos ha permitido tener un rol en su recuperación.

FACTORES BIOLOGICOS

Medicamente, hay elementos únicos a nuestra historia. Perdí cuatro embarazos antes de tener a Jana. Yo tenía una condición autoinmune que requería una dósis muy alta de prednisona. Este esteroide me causó diabetes, por lo que requería inyecciones de progesterona e insulina para sustentar el embarazo. Estos tres medicamentos pueden causar la masculinización del feto feminino, pero para que mi bebé sobreviviera estos medicamentos fueron necesarios.

A medida que Jana maduraba, se nos recomendó hacer estudios para descartar un sidrome de ovarios poliquísticos. Los examenes mostraron que su sistema estaba produciendo niveles muy altos de insulina y testosterona. El médico concluyó que ella tenía un "sistema endocrino funcionalemente masculino." Por esta razón el género de Mark es más bien clasificado como intersexual. No veo a Mark como un discapacitado, pero es importante que las personas entiendan que hay factores médicos que tienen un rol en el identidad de género de Mark. Lo que ocurre dentro de él es biológicamente real. Por supuesto que hubo señales todo el camino. Desde la escuela hasta la secundaria Jana siempre quiso a los chicos como amigos. Jugaba con ellos hasta que llegaba un punto para ellos en que juntarse con niñas ya no era genial. Esto dejo a Jana muy aislada por muchos años: sencillamente no lograba realcionarse con las niñas.

UN HIJO QUE SIEMPRE HE CONOCIDO

Mark y Ethan ahora tienen 25 años. Sobra decir que ha sido un proceso de muchos años. Hoy en día me aflige de una forma profunda saber que en un tiempo vi a Mark como una especie de muerte. Hoy, lo veo con un alma plena, y es la misma alma que siempre he conocido. Su sentido de humor. Sus hábitos. Su fuerza interior. Es la misma persona llena de compasión, amor y amabilidad que siempre he conocido. Otras familias han perdido a sus hijos por suicidio o violencia contra las personas trangénero. Por la gracia de Dios estoy tan agradecida de aún tener a mi hijo.

Mark e Ethan traen tanto gozo a nuestros vidas. Ya no miramos a las apariencias físicas. Nuestra esperanza está en Dios y Su poder para atraer a Mark e Ethan a la cruz. Pasamos por un fuego purificador que nos ha transformado en personas llenas de compasión. La gracia de Dios sanó nuestra desesperanza. Nuestra esperanza ya no está basada en expectativas imposibles para Mark e Ethan; nuestra esperanza esta en el poder y amor de Jesucristo.

Es posible amar a Dios de una forma completa y también amar profundamente a tu hijo LGBT+. Estoy tan agradecida por poder sentir amor profundo en mi corazon por Mark e Ethan. Tengo tanta paz por ser capaz de dejarlos en las manos de Dios y simplemente disfrutar de su presencia en nuestas vidas. Mi esposo y yo amamos a Mark e Ethan. Disfutamos mucho compartir la vida con ellos.

UNA PALABRA PARA LOS PADRES

Quiero advertir a las familias que hay muchos mensajes de muerte afuera. Pero por primera vez la iglesia está empezando a brindar ayuda para padres como nosotros - incluyendo este libro que tienes en las manos. Esta guía literalmente salvará muchas vidas y preservará muchas relaciones familiares. En nuestro peor momento, mi esposo y yo estábamos completamente desesperados. No podíamos escapar del dolor y la depresión. Pero sin embargo, hoy estoy aquí para decir que logramos alcanzar el otro lado.

A los padres que estén iniciando un proceso parecido y no puedan ver un camino hacia delante, queremos decirles esto: con el amor de Cristo puedes llegar a un lugar de comprensión. Si lo logramos nosotros también lo pueden lograr ustedes, porque servimos al mismo Señor, quien es fiel para guiarnos, consolarnos y animarnos.

Molly tiene hoy una pasión por caminar junto a los padres con hijos transgénero. Contáctanos si te gustaría conectarte con Molly.

ORAR A TRAVÉS DE LAS ETAPAS

*Muchas familias preguntan cómo pueden preservar sus creencias bíblicas en medio de las circunstancias que están desafiando esas mismas creencias. Una forma es recordar que **hay poder en la oración.** En otras palabras, ¡Ten tu cuarto de oración! Este es el refugio donde puedes honrar a Dios con tus creencias, presentar tus peticiones ante Él, y buscar Su consuelo para cada dolor, tristeza o ira que sientas.*

"Mi hijo, Mateo, sólo tiene 7 años, pero ya es muy afeminado. Sencillamente no entiendo por qué mi hijo no es masculino. Lo amo, pero tengo dos preocupaciones. Primero, me preocupa que su feminidad lo haga gay. Segundo, **tengo vergüenza de admitirlo, pero siento un poco de asco** por sus comportamientos de niña."

*Señor, tú me has dado a Mateo. Renuncio a lo que no puedo controlar o arreglar. No sé si mi hijo será gay. En cualquier caso, Mateo es mi hijo. Ayudame a ofrecerle amor incondicional. Ayuda a Mateo a sentirse completamente amado y seguro en mis brazos. **Protégelo de las burlas y el bullying. Ayúdale a siempre saber que tiene mi respaldo. Oro para que Mateo sea un joven con confianza.** Gracias, Señor, por un chico tan especial. Perdóname cuando me sienta asqueada por sus gestos. Te pido, Señor, que me sanes, para que pueda ver a mi hijo siempre a través de tus ojos. Le amo demasiado.*

10

"**Nuestra hija, Jordan, nunca ha estado cómoda en su propia piel.** Desde que era joven le ha gustado la ropa, los juguetes y las actividades de niños. Yo era una marimacho en mi infancia, pero esto va mucho más allá. Ella ya tiene 10 años, y desde los 5 años viene diciendo que quiere ser un niño."

*Señor, ayúdanos a honrar a nuestra vibrante y única hija Jordan. Gracias por todos sus dones y talentos. Me preocupa su ansiedad. Mi pequeña niña tiene mucho estrés acerca de su género. Me preocupan sus pasatiempos y preferencias. Me preocupa llegar a arruinarlo todo, sin importar lo que haga. Todo nuestro redireccionamiento solo ha hecho que Jordan desconfíe de nosotros. Te rindo cada pensamiento que me tiente a controlar demasiado a mi pequeña niña. **Ayúdame a celebrar su vida, a apreciar su personalidad, rodearla de amor y afecto y a fortalecerla con palabras de aceptación.** Por favor ayúdala a confiar en nosotros. Oro para que ayudes a Jordan a sentirse cada vez más cómoda como niña. Prepáranos para el camino que tenemos por delante y ayúdanos a amar radicalmente a nuestra Jordan.*

"Daniel, nuestro hijo de 13 años, ha sufrido de bullying en la primaria y en la secundaria. Él es muy retraído y deprimido. **Nos acaba de decir que es pansexual. Tuve que buscar la palabra, ¡y aún no lo entiendo!** A él le gusta un chico en el colegio. Esta cultura está convenciendo a nuestros hijos de que la sexualidad es quien sea que te guste. Estoy conmocionada. Estoy enojada. Hemos estado apoyando a padres cristianos. ¿Por qué él nos hace esto a nosotros?"

Señor, tengo muchos sentimientos encontrados. En un momento abrazo a Daniel, y al minuto siguiente, estoy muy enojada. Ayúdame a aceptar y entender en lugar de sermonear y avergonzar. ***No puedo cambiar las ideas de este mundo, así que ayúdame a estar enfocada en lo que sea más útil para Daniel.*** *Él ha sufrido mucho, está deprimido - incluso con pensamientos suicidas. ¡Señor, guarda la vida de mi hijo! Ayúdanos a conseguir la red de apoyo que necesitamos y a enfocarnos en Daniel. Protege a nuestro hijo y rodéalo de buenos amigos. Oro para que nuestros líderes de jóvenes puedan ayudar a nuestra familia. Ayuda a Daniel a confiar en el profundo amor que tenemos por él. Ayudalo a tener esperanza. Instrúyenos para que no contribuyamos al trauma de Daniel y para que cada palabra y cada abrazo tenga el amor que él tanto necesita ahora.*

"Kaleigh tiene 16 años y cada vez son más sus pensamientos y posiciones propias. Después de salir del clóset a los 14 años, todo se desarrolló con tranquilidad. Acogió nuestras creencias bíblicas con facilidad, incluso las hizo propias. **Recientemente, está menos interesada en la fe, le irrita la iglesia y está menos dispuesta a compartir con nosotros.** Nos vemos tentados de controlar cada uno de sus pasos, hasta que nos damos cuenta de que ganar influencia y confianza puede ser la mayor victoria para nosotros como padres. Hemos cometido grandes errores, pero también hemos aprendido y nos hemos disculpado por nuestras equivocaciones. Tenemos un tiempo límitado para reconstruir su confianza en nosotros y preservar su fe en Dios. Por momentos, nos sentimos impotentes.."

Señor, nuestra pequeña niña ya no es tan pequeña. Se ha convertido en una hermosa y joven mujer con ideas propias en un mundo que pronto será más grande que solo nuestra familia y el pequeño pueblo al que llamamos hogar. Te agradecemos por Kaleigh. Confiamos en que Tú eres más grande que los desafíos que estamos enfrentando. Oramos para que tu luz permanezca brillando en su corazón y que Cristo continúe viviendo allí. Acércala a ti. Ayúdanos a soltar y a confiar en Ti. No es fácil, pero debemos confiar que nuestra pequeña está en tus manos. ***Esto es muy aterrador; pero Señor, ¡recordamos Tu fidelidad!*** *Tú completarás la obra que iniciaste. Oramos para que Kaleigh encuentre su relación personal contigo, Jesús. Permítele escuchar tu voz diciéndole: "Vengan a mí todos ustedes que estén cansados y agobiados" (Mateo 11:28). Que nuestra hija encuentre descanso para su alma solo en Ti. Sé su refugio, su escudo, y ayúdala a llegar a Ti.*

"Ben se encuentra lejos debido a la universidad. Venía andando por un camino sólido, sosteniendo una visión bíblica del matrimonio y la sexualidad, experimentando el compañerismo de otros cristianos de posiciones similares, con atracción por mismo sexo. Luego, conoció a David, y se enamoraron. **Sus creencias han cambiado, pero todavía tiene una identidad cristiana.** Gracias a Dios, él aún confía en nosotros. No creo que se dé cuenta de toda la angustia que sentimos con frecuencia. La mayoría de las veces lo protegemos de cualquier reacción que pudiera herirlo. Hoy, Ben nos preguntó si podía traer a David para el Día de Acción de Gracias."

Nuestro Padre Celestial, por favor profundiza la fe de Ben y su dependencia en Jesús. Espíritu Santo, no sueltes el corazón de Ben. ***Oramos en contra de las actitudes y fuerzas que puedan afectar la fe de Ben;*** *oramos en contra del juicio de creyentes sobre él; oramos en contra de ideas no bíblicas. Ayúdalo a discernir la verdad del error. Ayúdanos a seguir amando a Ben correctamente. Y mientras nos aventuramos a esta fase inesperada, ayúdanos también a ver a David como un hijo de Dios. Que nuestra familia reciba a David con brazos abiertos y no permitas que caigamos en la trampa de criticarlo y perder la lealtad de nuestro hijo. Por favor, acompáñanos durante el día de acción de gracias porque todo esto es muy nuevo. Ben está en un camino diferente y estamos determinados a caminar con él en este trayecto. Llénanos de Tu presencia mientras recibimos a Ben y a David.*

22

"Oramos para que Troy superara su incomodidad con su género, la cual comenzó a los 13 años. Sin embargo, hoy anunció en Instagram que ahora es Troye. Él, o ella, se encuentra en una terapia de reemplazo hormonal (TRH). Todo lo que estamos enfrentando es muy complejo e imposible de imaginar. Todo lo que que pensábamos que sabíamos de nuestro hijo se ha ido. **¿Qué se hace cuando el hijo que conociste por 22 años ya no es tu hijo?** Parece que todo el mundo está celebrando. Nosotros estamos en un duelo. Amamos a Troye y siempre será bienvenida a casa. ¿Pero qué le vamos a decir a nuestra hija de 8 años? ¿Qué le diremos a mi padre de 86 años? ¿Dónde está la esperanza en medio de mi situación?"

Cuando toda la esperanza se desvanece y el mundo se pone de cabeza, "nuestra esperanza está puesta en ti" Señor (2 Corintios 20:12). *No tenemos el poder para arreglar a nuestro hijo, ni para deshacernos de su disforia de género, ni para convencerlo de que con el tiempo se sentirá más cómodo como hombre, ni tampoco para confrontar todas las opciones de transición. No tenemos poder, por eso desesperadamente "ponemos todas nuestras preocupaciones y ansiedades" en ti, Jesús. (1 Pedro 5:7). Tu serás nuestra esperanza, nuestro refugio, nuestra fuerza y nuestra guía. Tu serás el Salvador de Troye. Ayúdanos a compartir tu presencia con Troye, a aceptarla, a relacionarnos bien con ella y a recibirla con brazos de amor. Elegimos seguirte, Jesús, y dar nuestras vidas por Troye. Sabemos que serás bueno con nuestra familia.* ***Rodéanos de personas que nos puedan ayudar.***

"Nuestra historia no es tan simple. Sara, nuestra hija de 25 años, contrató a Michelle para ser su nutricionista. Lo siguiente que sabemos, es que Michelle, quien tiene 42 años, terminó su matrimonio de 15 años con su esposo, ¡por nuestra hija! Sara nos acaba de decir que ella y Michelle están locamente enamoradas. **¿Por qué escogió a una mujer que podría ser su madre?** Es tan desconcertante. ¡Yo tengo 45 años! Las personas dicen que debo amar a la pareja de mi hija como mi propia hija. Y aunque no soy una persona cruel, no puedo aceptar esto. Simplemente me da náuseas."

Señor Jesús, ¡cómo te necesito! Quiero ser feliz, pero estoy enfurecida. Quiero tener todo en orden, pero estoy fuera de control. Quiero ser optimista, pero me siento sin esperanza. Quiero sentirme segura, pero me siento insegura. ***Me esfuerzo por vivir en la fe, pero me pregunto dónde estás.*** *En medio de mis problemas, clamo a ti:"¡Tú guardarás en perfecta paz a todos los que confían en ti; a todos los que concentran en ti sus pensamientos!". Por esta razón, yo elijo "confiar siempre en el Señor, porque el Señor Dios es la Roca eterna" (Is. 26:3-4). Con la paz y seguridad en tus promesas, encontraré la fuerza y la sabiduría para andar en este recorrido.*

28

"El gran día llegó. **Nuestro hijo Tomás se va a casar hoy...**pero no es lo que esperábamos. Él se va a casar con su prometido, Mac. Nosotros amamos a Mac (se ha convertido en parte de la familia), pero también durante muchos años veníamos temiendo que este día llegara. A lo largo de los últimos meses, hemos luchado por saber cuál puede ser nuestro papel en una ceremonia de matrimonio que no consideramos bíblicamente permitida. Nunca nos cuestionamos si asistir o no. Muchos creyentes nos advirtieron de no asistir, ya que estaríamos "tolerando y permitiendo un estilo de vida pecaminoso". Afortunadamente, nuestro pastor creía que estar presentes es una oportunidad para tener una relación sólida con Tomás y con Mac en los años por venir. Más allá de asistir o no, sigue siendo confuso. Es decir, estaré sonriendo, abrazando, festejando y bailando, pero por dentro, también estaré triste."

Señor Jesús, recuerdo que eres un Dios de santidad y gracia. Sin el sacrificio de tu único hijo, Jesús, ¿quién podría tener una oportunidad de presentarse ante Dios en toda su gloria? Mientras me enfrento a preguntas imposibles, a las cuales parece no haber respuestas fáciles o cómodas, recuerdo que necesito tu gracia en mi propia vida. Padre, "Al hacerte estas peticiones, no apelamos a nuestra rectitud, sino a tu gran misericordia" (Dn 9:18). ***Con un conocimiento humilde de nuestro propio pecado, danos la gracia para demostrar por completo tu amor a Tomás, Mac, su familia, y a los muchos amigos y allegados que se unan a nosotros hoy.*** *En medio de nuestro dolor personal, damos gracias por nuestras bendiciones. Una bendición es que en verdad amamos a Mac. Gracias porque tenemos un yerno a quien realmente nos resulta fácil amar. Además, desde el día en que nació, Tomás nos ha dado mucha alegría, y estamos muy orgullosos de nuestro hijo. Padre, tú nos darás todo lo que necesitamos para esta nueva etapa. Gracias.*

LA FIDELIDAD DE DIOS EN EL CAMINO

*PADRES COMPARTEN EL RANGO DE SU TRAVESÍA, CÓMO SU FE FUE RETADA O FORTALECIDA Y CÓMO DIOS DEMOSTRÓ SER FIEL.**

¡El Señor ha sido tan fiel! Él ha provisto de tiernos compañeros de oración. Él me ha dado palabras de esperanza y ánimo desde Su palabra en el momento adecuado. Él ha provisto recursos en momentos cuando he pedido ayuda y dirección. **Cuando estaba nerviosa sobre compartir con nuestros líderes de la iglesia, el Señor se nos adelantó,** preparó sus corazones, y brindó apoyo y amor.

Como muchos de los padres que sufren, sabemos que no hubiésemos escogido este camino de ninguna manera. **¡Pero realmente nos estremecemos al pensar lo mucho que hemos crecido en en el Señor y de lo mucho que nos habríamos perdido de no haber estado en este camino!**

Dios tiene un récord impecable con nosotros en múltiples dificultades y pruebas a través de los años. No teníamos duda de que estaría con nosotros con cada paso del camino en esta prueba, también - y lo ha estado. Dios me ha ayudado a ser lento para hablar cuando he querido hacer algún comentario sarcástico. Él me ha ayudado a orar por su pareja y por su esposo (sí, es complicado). **Me ha ayudado a aceptar que esta es una decisión que ella ha tomado y no la culpa de mi mal trabajo como padre.**

Sabemos que Dios ama a nuestra hija y hemos intentado dejarla completamente a su cuidado. Él nos ha dado paz, ha removido nuestra culpa como padres, y hasta este día, Él sigue siendo nuestra esperanza.

Él nos ha guiado a recursos como LTH para encontrar ánimo, comprensión, y dirección. Él ha expuesto nuestros propios corazones pecaminosos y está trabajando en ellos por nuestro bien y por Su Gloria. **Él nos conforta en nuestro dolor y brinda paz en medio de esta tormenta. Confiamos en él más allá de lo que podemos ver.** Amamos a nuestra hija más incondicionalmente que nunca, y agradecemos a Dios por este duro camino.

Dios nos ha humillado, ha desnudado nuestros corazones orgullosos y arrogantes (aún queda mucho trabajo por hacer), y nos ha llevado a nuestras rodillas. Ha sido un camino extremadamente difícil, pero Dios ha demostrado ser fiel y estar siempre presente en los momentos de gozo y en los momentos de desesperanza total. Ha profundizado nuestra confianza en Él a medida que, vez tras vez, hemos sido testigos su suficiencia absoluta, que obraba en nuestras vidas cuando nos sentíamos demasiado débiles para seguir adelante. Mi esposo y yo ahora estamos ayudando activamente a otras familiar que en estos momentos están pasando por estas aguas nuevas e inexploradas.

Él salvó la vida de nuestro hijo cuando intentó suicidarse. Él me ha dado esperanza de que nuestra relación pueda sanar. Él me ha mostrado con cuánta facilidad juzgo y está trabajando en mi vida para cambiarlo.

He aprendido tanto. He sanado lo suficiente para admitirle a otros que tengo una hija gay. De hecho, **me gustaría ayudar a otros que están lidiando con esto, o incluso a aquellos que no entienden a las personas LGBT+.** Realmente ha sido una travesía y un proceso, uno que creo que Dios está usando en mi vida para hacerme crecer en formas en que de otra manera no hubiera podido.

Dios ha demostrado un amor inmutable e infalible por nosotros. Nos está mostrando cómo el amor realmente sí cubre todas las cosas. **Esto ha sido una lección sobre qué tanto podemos confiarle a Dios los corazones de nuestros hijos y dejárselos a Él - un verdadero acto de entrega.** Él no está sorprendido por nada de esto, y tenemos la fe de que usará todo esto para su Gloria. Simplemente puede que se vea diferente de lo que nosotros pensamos que debería verse. No logramos comprender los caminos de Dios, pero Él demuestra ser fiel, así que debemos confiar. Mientras tanto, tratamos de amar como Jesús ama. Es sólo por la gracia de Dios que podemos hacer cualquiera de estas cosas de manera correcta.

Cuando nuestro hijo salió del clóset, a nuestra familia se le cayó el cielo encima. Con cada giro en la historia, Dios estaba ahí con nosotros. Clamamos por nuestra propia sanidad e intimidad con Dios y con nuestro hijo. Jesús ha sido increíblemente fiel en mantener a nuestra familia unida a través de los momentos más difíciles y para atraer a nuestro hijo a Él.

*Encuesta de compromiso paternal con hijos LGBT+ de Lead Them Home (Octubre 2017)

Dios ha estado con nosotros guiándonos a través de este proceso desde el principio. Cuando ella salió del clóset, no teníamos amigos ni una red de apoyo que estuvieran familiarizados de ninguna manera con cómo lidiar con nuestra situación. **Estamos agradecidos de que teníamos un pastor que estaba dispuesto a admitir que no tenía todas las respuestas pero que aún así se quedó a nuestro lado y nos apoyó mientras orábamos, cada vez que atravesábamos un nuevo reto.** Encontrar a Lead Them Home con ya varios años en nuestra travesía fue de gran ayuda; ellos confirmaron la solidez de la guía que habíamos recibido de Dios. Los hijos que nuestra hija y su pareja tienen están entre las más grandes bendiciones de nuestras vidas. Ambos hijos han abierto ya sus corazones a Jesús, y podemos ver la evidencia del Espíritu en sus vidas. No sabemos lo que el futuro depara, pero estamos confiados de que Dios ama a nuestra hija y a su pareja profundamente – y que Él los guiará algún día a una relación con Él.

Aún estoy en esta travesía. Me preocupo por mi hijo, pero me doy cuenta de que hay demasiadas cosas fuera del alcance de mis manos ahora. **Mi hijo es saludable, seguro, y capaz de mantenerse sólo. Todas éstas son bendiciones. Simplemente no estoy seguro de lo que vendrá en el futuro.**

Veo la fidelidad de Dios en *muchas* formas – la fuerza de mirar a mi propio quebrantamiento; el deseo de amar más como Jesús; la libertad de no sentirme culpable por la sexualidad de mi hijo; el valor para hablar con otros cristianos que tienen ideas distorsionadas o que tratan a las personas LGBT+ como leprosos; la firmeza y valor para pedir oración en mi comunidad cristiana; y la habilidad para sentir compasión por las personas LGBT+ y no tratarlos nunca más como "aquellos".

Es muy pronto aún en este camino, y aún tengo que realmente ver a Dios en acción. Pero creo que me ha preparado de antemano, colocando en mi círculo de influencia podcasts, artículos y otros recursos a los que pude acceder antes de que mi hijo saliera del clóset. Así que mi corazón ya estaba algo preparado para recibir las noticias. Creo que Dios tuvo que ver ahí. **Estoy esperando con tanta paciencia como puedo ahora para ver la mano de Dios moverse poderosamente en este camino.** Aún estoy en un estado de duelo y tristeza la mayor parte del tiempo – y siento muy poca esperanza en este mundo en general y en nuestras vidas específicamente. La mayoría de días es donde me encuentro.

Dios ha fortalecido nuestra confianza en este salón de clases de sufrimiento. Él nunca nos ha dejado e incluso nos ha dado un sentimiento de calma cuando más lo necesitábamos. Él ha expandido nuestro entendimiento de la comunidad LGBT+ y ha aumentado nuestra compasión por ellos. **Nos hemos humillado como familia debido a prejuicios previos que habíamos tenido de los "homosexuales" y sus padres. Dios nos ha mostrado el dolor y el sufrimiento de la comunidad LGBT+ en formas que nunca habíamos siquiera considerado.** Ahora vemos a través de un lente más claro cómo Dios ve a las personas. Aún no creo que el matrimonio gay sea el mejor plan de Dios para sus hijos, pero también reconozco qué tan prejuiciosa solía ser yo. Dios está enseñando a nuestra familia que necesitamos cambiar nuestro abordaje en la iglesia para no avergonzar ni condenar a las personas.

Nos damos cuenta ahora que este camino no se trata sólo de nuestro hijo; ¡Se trata de Dios que nos cambia! Hemos cambiado tanto. **No hemos comprometido nuestra postura bíblica sobre la homosexualidad, pero ya no somos tan rápidos para emitir juicios sobre las personas.** Estamos más dispuestos a buscar a la comunidad gay y a demostrarle que los cristianos no son las típicas personas que odian a los gays, que ellos creen que somos.

Dios nos ha dado esperanza. **Hemos elegido confiar en Dios y andar por este largo camino con nuestro hijo**. Estamos convencidos que Dios lo puso en nuestra familia (es adoptado), y eso nos da paz para saber que nuestro Padre celestial sabe todo.

Dios nos ha mostrado, a mí, a mi esposo y a nuestros tres hijos que Sus planes para todos sus hijos requieren sacrificio, obediencia y renunciar a algunos sueños – todo para enseñarnos humildad y gracia. **Caminar en este mundo ha hecho pedazos una falsa imagen de santidad de la que ni siquiera nos percatábamos, enseñándonos qué tanta misericordia y gracia le tomó a Él mismo amarnos y perdonarnos. Ha cambiado nuestro ministerio entero y el modo en que nos relacionamos con otros.** Estamos intentando ver a cada persona que encontramos a la luz de "un mendigo diciéndole a otro mendigo donde encontrar pan". Dios ha llenado a nuestro hijo con sabiduría, amor y entendimiento. Su carácter ha sido algo asombrosamente inspirador para nosotros, sus hermanos, aquellos que él aconseja, y la iglesia a la que él asiste. Lo hemos visto florecer a medida que enseña a otros cómo la comunidad nos ofrece amor, rendición de cuentas, y obediencia a Dios y sus mandamientos. Ahora sentimos en nosotros sanidad y pasión por amar y caminar con otros. Ahora modelamos un evangelio de gracia mucho más auténtico de lo que conocíamos antes. Este evangelio alcanza cada fibra de nuestro ser a medida que honramos y glorificamos a Dios, ¡Aquél que nos ha dado todas las cosas!

LA GENERACIÓN DE JUSTICIA

UNA NUEVA HISTORIA DE LA IGLESIA

NOSOTROS TENEMOS UNA VISIÓN DE crear una *nueva* historia de la Iglesia – una donde los cristianos honren a Dios y amen radicalmente a las personas LGBT+. Esto no nos costará nuestra posición bíblica sobre el matrimonio y la sexualidad, pero requiere un cambio de postura. Debemos ajustar nuestras acciones, actitudes, y palabras para seguir y reflejar a Jesús con mayor humildad.

Para escribir una nueva historia de la Iglesia, debemos primero estar en paz con nuestro pasado. Por décadas, fuimos cómplices en el maltrato a las personas LGBT+. A veces, participamos en la condenación de las personas gay y transgénero. Muy a menudo fallamos a la hora de protegerlos del bullying, la condenación, discriminación, rechazo familiar, suicidio y situación de calle.

TRABAJEMOS JUNTOS EN EL PASO DE LAS GENERACIONES PARA OFRECERLE A NUESTRO MUNDO UNA NUEVA HISTORIA DE LA IGLESIA.

Nuestro estatus de mayoría, con el poder que lo acompaña, nos impidió ver cómo fallamos en proteger a las personas LGBT+. La victimización de las personas gay y transgénero aún ocurre hoy en día. Hemos leído previamente sobre Crystal, de 22 años, nuestra joven amiga transgénero que está en situación de calle en Indianápolis debido al rechazo familiar. También leímos sobre Liam, de 20 años, comprometido con el celibato, aún así, fue llamado "marica" y removido de su posición de trabajo con niños en su iglesia. Hay incontables historias similares.

Necesitamos escribir una nueva historia para la Iglesia. Con dedicación, podemos eliminar el rechazo familiar de nuestros seres amados LGBT+ en esta generación. En el camino, sin embargo, debemos esperar resistencia por parte de compañeros cristianos. Prepárate para ser llamado hereje. Cuando rindes tu vida en favor de las personas marginalizadas, puede que seas aplastado junto con ellas. ¡Pero cuéntalo todo como gozo! Te debe bastar con saber que estás llevando a Jesús en ti a las personas donde ellos están – y eso, experimentando tan sólo una fracción del maltrato que las personas LGBT+ han sufrido por décadas. Los misioneros nunca buscan problemas, pero están dispuestos a pagar el precio de levantar a los quebrantados.

Algunos de nosotros simplemente queremos culpar a los medios. Nos enfurece que los íconos culturales y políticos liberales estén robándonos una ética sexual bíblica. Tememos que cualquier acto de bondad para con las personas LGBT+ se convertirá en algo que comprometa nuestras creencias bíblicas. Mientras tanto, una de las grandes transigencias de nuestros días es la epidemia de la pornografía que plaga a la Iglesia. Ya nos ha robado la unción de Dios para renovar nuestros corazones y sanar nuestra tierra.

Si nosotros – la mayoría – no nos arrepentimos, no ofrecemos un camino muy bíblico para que los otros puedan seguir. Al no arrepentirnos, es muy fácil caer en substitutos – como sentarse en las bancas, a esperar que las personas LGBT+ se arrepientan. Los denigramos y los consideramos una amenaza para nuestra libertad religiosa. Tenemos toda la libertad que necesitamos para clamar a Dios y arrepentirnos. Los políticos y las celebridades no controlan nuestros corazones. *Somos* responsables de nuestras propias vidas. *Somos* responsables de nuestros pecados.

***Debemos* arrepentirnos.**

Se necesita arrepentimiento porque la pornografía envenena nuestras almas y nos roba el poder de la Palabra viva de Dios. Si queremos nuevamente ver una ética sexual bíblica vibrante en la Iglesia, debemos vivirla – y tratar a las personas LGBT+ con amabilidad mientras lo hacemos.

La amabilidad es la clave.

Usar el poder de la mayoría para posicionar a Dios en contra de la gente vulnerable no sólo es cruel, sino que también destruye la confianza en la verdad bíblica. No es sorpresa que incluso muchos evangélicos se están alejando de una ética bíblica respecto del matrimonio y la sexualidad. Piensa en esto. Usábamos las escrituras para maltratar a la gente de color - y estábamos equivocados. Usábamos las escrituras para maltratar a las mujeres - y estábamos equivocados. Algunos hoy usan las escrituras para maltratar a las personas LGBT+, así que la presunción de muchos cristianos es que seguramente debemos estar equivocados - nuevamente.

Si permitimos que un grupo marginalizado sea maltratado por décadas, eventualmente se levantará una nueva generación y lo llamará injusticia. Y si esa nueva generación no puede hacernos ver lo que ellos ven, en última instancia abandonarán lo que consideran una verdad en la que no se puede confiar, con tal de lograr justicia (el trato amable de las personas). Cuando esto ocurre ¡no están tan errados! Mientras que las Escrituras sostienen que la verdad y la gracia van de la mano como dos hebras igualmente entretejidas, que reflejan plenamente el carácter de nuestro Padre Celestial, la Biblia regresa contínuamente al amor.

Considera 1 Corintios 13:13, que dice:

> *"Ahora, pues, permanecen estas tres virtudes: la fe, la esperanza y el amor [Fe - la convicción y creencia con respecto a la relación del hombre hacia Dios y las cosas divinas; esperanza - la expectación confiable y gozosa de la salvación eterna; amor - el afecto verdadero para Dios y el hombre, que crece del amor de Dios para nosotros y en nosotros]. Pero la más excelente de ellas es el amor."*

¿Sabes lo que pasa cuando una nueva generación se levanta y comienza a señalar nuestros puntos ciegos? La oportunidad de que los escuchemos, aprendamos de ellos, reconozcamos nuestros pecados, nos arrepintamos, confesemos, y comencemos a construir una nueva historia para la iglesia, encarando sus perspectivas y preocupaciones.

El *riesgo*, sin embargo, es que nos burlemos de ellos desde una posición de poder generacional; que minimicemos sus dones y talentos; que nos volvamos escépticos de su enfoque en la justicia; que los acusemos de comprometer la verdad bíblica; que los consideremos una grave amenaza para la iglesia; que desechemos sus preocupaciones simplemente porque podemos y que nos neguemos a ver.

Necesitamos construir una nueva historia para la Iglesia.

Es tiempo de honrar el paso de la antorcha del evangelio hacia la siguiente generación. Debemos hacerlo porque, en última instancia, nosotros envejeceremos. Incluso si tenemos la bendición de estar entre los pocos líderes afortunados que envejecen, pero que aún poseen la autoridad de hablarle a millones, aún así eventualmente moriremos.

Habrá una próxima generación. Considerar nuestra mortalidad y reconocer que una próxima generación debe asumir su lugar en la historia, es un ejercicio saludable. Nos recuerda la importancia de buscar la chispa del evangelio en la siguiente generación de la Iglesia de una manera genuina.

¿Qué hay que ver en la generación de la justicia? *Nada fuera de lo que Dios ha planeado con exactitud.* El Señor está moldeando a esta generación con dones, talentos, nuevas perspectivas, y habilidades misionales necesarios para estos tiempos. Lo que nosotros, la Iglesia, debemos hacer es exactamente lo que ellos, como próxima generación, están equipados para hacer. La generación de la justicia ha crecido con personas LGBT+. Ellos genuinamente aman a sus familiares gay y transgénero. Ellos escuchan y respetan a sus amigos LGBT+. Ellos no dudan en invitar a sus vecinos no heterosexuales a cenar. Ellos entienden la importancia del sentido de pertenencia para la gente marginada. Ellos saben que descubrir a Cristo puede ser, a menudo, un viaje que comienza con la aceptación.

Esta próxima generación no es un error. Ellos son exactamente lo que necesitamos para construir una nueva historia para la Iglesia. Nuestra generación ha cometido errores. En lugar de ayudar a los que sufren, aplastamos su espíritu. Debemos pedir perdón por incontables errores. Necesitamos una cantidad infinita de perdón. Fallamos en amar a las personas LGBT+. Nos hemos desviado a una postura que no proviene de Dios y hemos maltratado a personas. El fruto de nuestros errores es que muchos, incluso en la iglesia actual, ahora consideran que una ética sexual bíblica sólida es una verdad muy poco confiable.

Si a ti te inquieta profundamente la ética bíblica del matrimonio y la sexualidad, puedes sentirte tentado a redoblar condenación hacia las personas LGBT+ y a combatir su cultura. Este enfoque sólo erosionará más aún la confiabilidad de nuestra verdad. Preservar la verdad bíblica comienza por arrepentirnos de los errores y comprometernos a amar radicalmente a las personas a quienes hemos herido y aislado.

Para la generación de la justicia: si ustedes reaccionan a nuestros errores, se arriesgan a entender el evangelio igual de mal - pero en un sentido contrario. Si nuestra generación tuvo un evangelio centrado en verdades que ofrecían poco amor, existe un riesgo de que ustedes puedan pasarse para el otro lado y abandonar la santidad de Dios en un intento por amar bien. Por el bien de una expresión del evangelio de Jesucristo que honre a Dios, trabajemos juntos de generación en generación, para ofrecer a nuestro mundo una nueva historia de la Iglesia: una que honre a Dios y ame radicalmente a las personas LGBT+. Amén.

"ÉL MUESTRA MISERICORDIA (SU COMPASIÓN Y AMABILIDAD HACIA LOS AFLIGIDOS) A TODOS LOS QUE LE TEMEN DE GENERACIÓN EN GENERACIÓN."

- LUCAS 1:50

UNETE A NOSOTROS EN **CAMBIODEPOSTURA.COM/JUSTICIA**

DE NUESTRO DIRECTOR

MUCHAS FORMAS DE RESPONDER A LOS EVENTOS MÁS difíciles de la vida. Uno de los asuntos más difíciles para los padres, familiares, y cuidadores es cuando un individuo les revela por primera vez que es gay. La respuesta de los padres, familiares y cuidadores es de crítica importancia.

Saber cómo responder hace una diferencia enorme para la persona que toma el riesgo de revelarlo.

Esta publicación ofrece formas claras y reflexivas para considerar cómo responder mejor. Podrás leer las respuestas de los padres y de otros que comparten sus propias reacciones ante una revelación.

Esta es una publicación esencial para cualquiera que trabaje con individuos y familias que lidian con sus propias reacciones ante el descubrimiento de que alguien que ellos conocen y aman es gay.

Bill Henson y su equipo han reunido esta útil y poderosa publicación como herramienta para padres y cuidadores profesionales.

Como psicólogo y pastor, encuentro que esta publicación es una herramienta esencial para ayudar a las familias y a cuidadores a responder de una manera provechosa. El mensaje de amor y cuidado en el contexto de la verdad cristiana es poderoso para mantener relaciones verdaderamente redentoras.

Rev. Dr. Ray Pendleton
Profesor Titular de Consejería, Gordon-Conwell Theological Seminary
Rector Asistente para el Cuidado Pastoral, Christ the Redeemer Anglican Church

MISIÓN

Nuestra misión es amar a las personas LGBT+ en la iglesia.

VISIÓN

Nuestra visión es incrementar la aceptación familiar, mejorar la inclusión en la iglesia y nutrir la identidad de fe en la gente LGBT+.

ENFOQUE

Entrenamos a líderes religiosos, guiamos a familias, proveemos cuidado a las personas LGBT+, y construimos puentes de justicia para servir a las comunidades LGBT+.

ÚNETE

¿Se ha beneficiado tu familia, iglesia o ministerio de *Guiando Familias*?

Por favor considera ayudarnos en el trabajo de avanzar el evangelio volviéndote un socio financiero. Dona como individuo, negocio u organización vía cheque, tarjeta de débito o crédito o cheque electrónico – o considéranos para un fondo mutuo o inversión en bolsa.

Comienza con un regalo único o recurrente en **guiandofamilias.com/dar.**

RECONOCIMIENTOS

"¡Esta nueva edición de Guidando Familias es un recurso increíble! Seguirá siendo el principal recurso que recomiendo para para pastores, líderes, cristianos, padres y amigos de personas LGBT+."

– Dr. Preston Sprinkle, Presidente del Center of Faith, Sexuality, and Gender

"Guiando Familias me ayudó no solo en el ministerio sino en mi propia familia. Estoy agradecida de que esta edición profundice en el lenguaje y conversaciones que sanan y las preguntas más frecuentes."

– Nina Edwards, Directora Superior de Desarrollo de Liderazgo en Youth for Christ/USA

"Esta edición de Guiando Familias ha transformado un recurso ya útil en un inestimable tesoro de información y sabiduría."

– Dr. Nate Collins, Fundador de Revoice

"Este es un recurso fantástico que combina la gracia y la verdad para saber cómo amar a jovenes LGBT+. Hay jóvenes que se sienten frente a un callejón sin salida con respecto a la fe; Espero que como seguidores de Jesús apliquemos estos conceptos y que más jóvenes vean un camino hacia adelante para buscar a Dios."

– Debbie Child, People Care Network, Cru

"He tenido padres, iglesias y pastores que a menudo han expresado que quieren amar a sus familiares LGBT+, pero no saben cómo. Bueno, ¡así es como! Guiando Familias es un regalo porque de forma clara y práctica muestra cómo encarnar el amor de Jesús. No dejes que el formato accesible y la guía práctica te engañen - ¡Guiando Familias es una gran obra de teología!"

– Rev. Branson Parler, Ph.D., Professor de Estudios Teologícos, Kuyper College,
Director de Formación de Fe, Fourth Reformed Church

"Este es un recurso lleno de consejos sabios y prácticos. Rebosante de historias de la vida real, lleva al lector a través de una serie de descubrimientos que pueden ayudar a cualquier familia o cualquier iglesia a construir puentes para las personas que más lo necesitan. Intelectualmente satisfactoria y visualmente hermosa, esta obra es un logro asombroso."

– Dr. Gordon L. Isaac, Profesor de la Historia de la Iglesia, Gordon-Conwell Theological Seminary

"Guiando Familias es una gran ayuda cuando amigos se me acercan, ya sea que acaban de salir del clóset ellos mismos o que se encuentran preocupados y confundidos porque su hijo acaba de salir del clóset. No puedo pensar en otro recurso como este - con historias reales, evita malentendidos de idioma, ama ejemplarmente, al tiempo que se mantiene firme en nuestras creencias, responde preguntas difíciles, evita errores comunes, y mucho más. Aquellos de nosotros que mantenemos una visión tradicional de la sexualidad necesitamos este recurso para ayudarnos a ser las manos, los pies y los oídos de Cristo para la comunidad LGBT+."

– Carolyn Carney, National Discipleship Steering Committee, InterVarsity Christian Fellowship

"Anhelo un mundo en el que cada cristiano que posea una ética sexual tradicional ame a sus vecinos LGBT+ con la clase de sensibilidad y compasión modelada en este libro."

– Gregory Coles, autor de Single Gay Christian

"Guiando Familias provee una ruta completa y concisa para ayudar a padres y tutores cristianos conservadores a navegar la mejor manera de responder a la revelación de un familiar LGBT+. Provee información y recursos instructivos para ayudar a los padres en su deseo de mantener una relación incondicional de amor con su hijo LGBT+. Guiando Familias es un recurso valioso y un regalo único para la comunidad cristiana."

– Francis Cavallo, doctorado LMFT LMHC, Pastoral Counseling Services of the South Shore

MÁS RECONOCIMIENTOS EN LA PORTADA INTERIOR